乐迷闲话

辛丰年文集 卷一

辛丰年 著

严锋 编

SMPH
上海音乐出版社

出 版 说 明

辛丰年（1923—2013），本名严格，江苏南通人。1945 年开始在新四军从事文化工作，1976 年退休。20 世纪 80 年代以来，辛丰年为《读书》《音乐爱好者》《万象》等杂志撰写音乐随笔，驰誉书林乐界。著有《乐迷闲话》《如是我闻》等书十余种。先生早年因投笔从戎，未能完成初中学业，后读书自学成癖，并迷上音乐，晚年转向文史阅读。终其一生，辛丰年是一个彻底的理想主义者，一个纯粹的人文主义者，一个真理与美的追求者。

2018 年，上海音乐出版社成功出版"辛丰年音乐文集"六种。时隔五年，适逢先生百年诞辰，本社以音乐文集为基础，再收入辛丰年信札、随笔合集一种和译作一种，总计八种。

音乐美好，人生美好。纪念先生美好而正直的一生。

上海音乐出版社有限公司

2023 年 7 月

像音乐一样美好

　　无论在他生前身后，我想到父亲的时候，最常有的感觉是惊奇：世上怎么会有这样的人，世上竟还有这样的人。我不是感叹他的学问有多好，文章写得有多好，而是惊讶还有这么好的人。

　　我当然知道，作为一个儿子，用"好人"来形容自己的父亲，这没有什么意义，在今天更是如此。在一个假道德、非道德、反道德、后道德混杂的时代，对道德的冷感和犬儒态度是可以理解的。但是，我对道德理想主义依然抱有信念，因为我身边确实有一个真实的例证。

　　这不仅是我个人的看法，也是接触过他的所有人的印象。中国人有替他人扬善隐恶的习惯，通常对文化老人会有溢美之词，但是我看别人写他的文章，深知对他的所有美好回忆都是真的，而且只是沧海一粟。

　　惊讶之余，必有疑惑。我常常想，他那样的人究竟是怎样炼成的。是父母教的吗？好像不是。他的母亲很早就去世，他的父亲是一个威严而粗暴的小军阀，民国时代做过上海警备司令兼上海警察厅长和上海卫生厅长——我小时心目中标准的"坏人"。是学校教的吗？他初二就肄业了，其后全靠自学。

那么是另一个巨大的熔炉吗？他确实像同时代的许多青年，响应了时代的强烈呼唤。对于家族，父亲有一种根深蒂固的羞耻感和赎罪心，这种原罪的意识，从 20 世纪 40 年代接触革命思想，到"文革"中的吃尽苦头，一直到发家致富光荣的改革开放的今天，他从来没有改变过。

还有家国之耻。父亲说，他当年跑到解放区，是因为家不远处和平桥就是日本宪兵队，每次经过那里都要向日本人鞠躬，感觉非常屈辱。他总是绕道跃龙桥，避开日本人。他也不喜欢蒋介石，因为常去邹韬奋的生活书店看进步书籍，特别在青年会图书馆（在大世界隔壁）看了华岗的《1925—1927 中国大革命史》，痛恨蒋的屠杀，从此对国民党幻灭。

但是最直接的动因，是一本叫《罪与罚》的小说，作者陀思妥耶夫斯基。2010 年的时候父亲有一天打电话说他把这本书的英文版又看了一遍。他还告诉我，当年他投身新四军，最初不是因为读了马克思的书，而是因为震撼于《罪与罚》呈现的罪孽。无论如何，推动父亲一路走来的是一种对人间的绝对正义的追求，一种刻骨铭心的悲天悯人的情怀。他是一个无可救药的人道主义者。

还有音乐，终生自学，终生挚爱。战争年代，父亲在部队所到之处，会寻访当地音乐人，向他们请教和借乐谱抄写。在他的行军背包中，还放着德沃夏克《自新大陆交响曲》的总谱。原江苏文联秘书长章品镇先生是他的革命引路人，1945年他们一同从上海坐船到苏中分区参加新四军。两人相约仿效巴托克，随军每到一处，即以纸笔记录当地民歌。我曾见他们在异地交流采风的信件。对于他们那一代的文艺青年来说，革命是最浪漫的诗篇；对父亲来说，革命是最宏伟的交响乐章。

　　雨果在《九三年》中说："在绝对正确的革命之上，还有一个绝对正确的人道主义。"我父亲的一生，实践的就是雨果的这句名言，并且再加一句：在这两者之上，还有一个绝对美好的音乐。

　　　　　　　　　　　　　　　　　　　严　锋

目　录

像音乐一样美好　　　　　　　　　　　　　严　锋

之秘 / 演奏技巧的演变 / 技、艺之分 / 小品热及其
他 / 技巧点滴 / 神童提琴家 / 小提琴演奏艺术走下
坡路?

原始的"录放机"/早期的唱片/唱片的进化/唱片对音乐欣赏的影响/唱片音乐的普及与泛滥/必要与无必要的重复/唱片中的珍奇/音乐教室中的助教/唱片的功与过

看似游谈却有根

大约六十多年前，我到上海兰心剧院去听工部局管弦乐队的音乐会，迟到一脚，入场门已拉起了沉沉的帷幕。我站在槛外，只能听到强奏的一两句。

至今每一回想前情，总要自笑：我这乐迷始终是个槛外人。这样也好，可以自由听，自由谈，自得其乐，不亦乐乎？

这本小书也正反映了槛外人的随意性。但是虽似游谈，并非无根。多年来，不满足于就曲听曲，还想有所知，因为有所知颇有助于倾听。于是对各种资料多方涉猎，日积月累，细大不捐，搜罗了一大堆，我不想自秘，就写成此书，与同好共享。

2005 年夏

钢筋铁骨有诗心

——闲话钢琴

洋琴入中土

三十年前，听到钢琴在中国供不应求不走后门难以买到的消息，不禁联想起 19 世纪的一件蠢事。

鸦片战争之后，有些洋商并没掌握中国的市场信息，却想当然地不远万里运来一批钢琴。结果自然是无人问津。再运回欧洲去吧又不划算，于是大蚀其本。（此事见《中国近代史资料丛刊·鸦片战争》第一册十三页。）

那么，钢琴这洋货可以说是在大炮声的伴奏之下首次成批输入中华的了！

随着门户洞开，西风东渐，"披霞娜"（piano，钢琴最初的音译名）在中国也不那么稀奇了。

近代中国第一代职业外交官当中有个张德彝，1866 年出国，途经上海滩，在一个洋教习家里看到"洋女拨弄洋琴。琴大如箱，音忽洪亮忽细小，参差错落，颇觉可听"。

俄国人写的《八国联军目击记》中，记着他们攻下天津城后，在一架幸存的钢琴上弹唱俄罗斯国歌《上帝救沙皇》。

洋琴还走进了紫禁城。溥仪被赶出大内之后，参加清点文物的人们在宫中看到宣统兄弟俩玩过的琴，一旁还乱七八糟地堆放着一些时曲、小调的谱子。

1949 年之前，如果到福州、厦门，特别是鼓浪屿这些比较"洋化"的地方，漫步住宅区，很容易听到洋楼中飘来的琴声。而在旧上海，花一笔不算太高的租金，便可以向"琴行"里租一架旧琴来弹弹。那些大大小小的"琴行"，除了卖琴（及其他乐器、乐谱、唱片），租琴也是它的业务。

旧时流入中土的钢琴数量之多，也许"文革"大抄家、"破四旧"时的景象可为旁证。

然而钢琴毕竟不能由有钱、有闲阶级独享，于是进艺术学校专业习琴的人逐渐多了起来。

有趣的是，由于教育普及，小学生中教音乐的老师总得学会弹琴，而正规的弹奏法又习之不易，对于某些人（弹者与听者）来说也似无必要，于是应运而生出现了一种非正规的简易弹奏法。简言之便是：右手弹高音部旋律，左手像打拍子似地在低音部配以"伴奏"。此所谓"伴奏"，基本上只重复曲调重拍上那些音而已。要掌握此法，用不了多长时间。然后便可施之于一切歌曲、小曲的弹奏。据《毛毛雨》作者黎锦晖的自述，此法的发明权还要归他。

平心而论，这种弹奏法虽不登大雅之堂，然而它对于普及中小学的音乐教育却也功不可没。

洋琴之声，同我们中国人的口味本来是格格不入的，但后来听惯了，竟弄到有些商业性电台在播放方言小曲弹唱时也把钢琴用上了!

说正经的，1934年，有位热心的洋人叫齐尔品，这是他的中国名字，原名车列甫尼。他父亲还教过俄国大音乐家普罗科菲耶夫。

在齐尔品赞助下，《牧童短笛》《摇篮曲》等道地中国风味的钢琴曲问世。这或许是一种标志:"洋"琴终于为中国所"用"了。

一大功劳

钢琴出世，约摸在18世纪之初，也便是清朝康熙中叶，曹雪芹还没生的那时代。(恕我乱想，假如钢琴早来中华，《红楼梦》里可能会写到它。姑苏在当时是舶来品充斥之乡，说不定，黛玉弹的不是七弦琴而是钢琴了吧?)

钢琴由简陋到完善，将它的前身同时又是劲敌的"羽管键琴"赛倒，终乃取而代之。这件事，对于西方音乐文化的影响实在不小。试检从莫扎特到德彪西这一系列大音乐家的作品目录，其中数量大而地位又突出的，正是钢琴作品。这里面还有肖邦这一位，是终其一生只为钢琴谱曲的。不难设想，假如没有钢琴这乐器，或虽有而仍停留在羽管键琴那种水平上，恐怕也就不会有钢琴音乐文献中那么多杰作，自然也就不会有肖邦、李斯特、鲁宾斯坦等演奏巨匠了。

固然，羽管键琴早就有了。像老巴赫的《十二平均律钢琴曲集》那样重要的作品，就是为羽管键琴写的。莫扎特那首包括《土耳其进行曲》在内的《A 大调奏鸣曲》，原本也是羽管键琴曲。还有某些钢琴名作如贝多芬的所谓《月光曲》[1]，当年出版的乐谱上标着：也可在羽管键琴上弹奏。

然而，像《热情》《黎明》那样气吞江海的音乐，除了钢琴，别的键盘乐器是一概不能胜任的。再如肖邦写的许多钢琴曲，一经改编成别的器乐曲，韵味顿然大减。这也反证了钢琴的独特价值。

从专业与普及两方面推动了西方古典音乐的发展，钢琴是大有功劳的。19 世纪，一无留声机，二无收音机，更不用说录放机了。想听音乐，只有买票上音乐会、歌剧院，或是上教堂去听听管风琴与宗教合唱音乐。除开这几样，主要是利用钢琴这乐器。

别的乐器都不像钢琴这般"全能"。既可弹奏旋律，又可

1　即《月光奏鸣曲》。后文中出现的《名歌手》《英雄》等均为曲名简称，此后不再一一注释。

演奏和声与复调，有强大的表现力。尤其重要的一点是，如果要欣赏交响音乐，那么在钢琴上弹奏改编的乐曲，在那时是最方便可行的了。因为，在某种程度上一架钢琴便可以模拟一支管弦乐队的效果。这便大有助于交响音乐的普及。看看托尔斯泰夫人的日记吧，其中有大量听、弹钢琴的记述，直至1905年之后，她还只好从四手联弹中欣赏"贝九"。她们是住在外省乡下的。

对于专业搞音乐的人来说，这一点也极关重要。音乐会的票价高，穷学生买不大起。有些作品也难得列入演奏节目。难怪有些大师年轻时候只是从钢琴上才熟悉了贝多芬等前辈的交响曲。比方，德沃夏克在成名之前就没怎么听过许多重要作品的实际演奏。他自云："我仅仅知道音乐史上有这些大师而已！"还有像萧伯纳这位大文豪兼音乐评论家，早年因为同他姐姐成天在钢琴上大弹改编曲，以领略他们所向往的贝多芬、瓦格纳的交响音乐，竟惹恼了邻居，群起而攻之。他晚年自忏悔道："回想起我在自学中弄出来的敲击声、咆哮声……种种噪声给敏感的邻居造成的刺激、烦恼，真叫我无法弥补，深感内疚！"

钢琴本身当然是西方古典音乐的产儿，然而没有这件利器，欧洲音乐也可能不会很快出现繁荣昌盛的那种局面。萧伯纳说："发明钢琴之于音乐，正如印刷术之于诗艺。"

丑小鸭长成了天鹅

1700 年出现的钢琴，一开始并不为人所重。论其音响，还不及"羽管键琴"那么嘹亮。已经弹惯羽管键琴的人嫌它不好使。制造家们却又嫌它的结构比羽管键琴来得复杂。

老巴赫重视这新事物，也批评过它的缺陷。即使到了法国大革命前夜，也便是海顿和莫扎特名噪乐坛之际，那时的钢琴仍然是一种不大理想的乐器。音域不广，音量不大，弹奏起来时有窒碍。例如莫扎特当年抚弄过的钢琴，才不过五组音，这音域同现今小学里用的簧风琴一样，还抵不上聂耳牌小型钢琴的音域宽。然而，那位空前绝后的音乐奇才就用了这种不理想的工具，谱写出二十几部钢琴协奏曲，其中有好多是妙不可言的杰作。

十七岁的舒伯特，写出了一部弥撒曲和一部歌剧，受到人们赞赏。他父亲一喜，买了架钢琴赏给他，也才五组音，这是1814 年的事。（费解的是，1815 年谱《魔王》时此琴已不知所终。）

那时的钢琴虽然很不完善，但它有一个特点是其他键盘乐器无法匹敌的。它可以随着手指触键的轻重，发出力度不同的音响，反应灵敏。钢琴的得名也正由此。直译其名，应该叫"轻重琴"（Pianoforte）。也曾出现过"重轻琴"（Fortepiano）。俄语中至今还用后一名词。中国一度音译为"披霞娜"，从字面看挺文雅。许多人叫它"洋琴"，也许与日文有关。不知始于何时，"钢琴"成了大家接受的通用名词。

对"轻重琴"这个特点，必须好好领会一下它的重要性。试听17、18世纪的巴洛克风格音乐，那里面的强弱对比，一般只是一种成片成块的变动，基本上没有什么比较细腻的层次。再听贝多芬的钢琴奏鸣曲吧，可就不同了。时而切切如丝语，时而轩昂如勇士赴战场，并且富于多层次的渐变与对比。像这样的力度与表情上的变化，羽管键琴就办不到了。

再拿音量来说，羽管键琴只适合于宫廷或沙龙里一小圈听众听听，钢琴却能在大庭广众的音乐厅里响若洪钟。听听贝多芬的《皇帝协奏曲》吧，一架钢琴同整个管弦乐队互争雄长，那气势何等不凡！

至于音色，孤立地拿它同竖琴之类乐器比起来，钢琴的音色似乎不算美。竖琴的音色在所有管弦乐器中是无与伦比的，然而多听了却叫人腻烦。钢琴因其音色变化多端，却无此弊。单调的羽管键琴更无法同钢琴竞争了。钢琴的声音是最耐听的。其中道理，众说纷纭。其实，奥妙就在于它的音色变化无穷，且又是虚实结合的：既有琴槌叩击之初发出的实音，又有可延续的虚声。后者既是它的弱点（不能无限延长，控制强弱），却又是其妙处，妙在其韵，如烟似雾，不可仿佛。

经过了众多发明家与匠师们的钻研试制，钢琴终于脱毛换羽，成了美丽的天鹅。而这一进展又是离不开工业技术发展的。略举几点便知钢琴的成长同工业、科技的发展关系之密切。

现代钢琴有几千个零件。每根琴弦张紧之后所受的张力约为一百八十磅到两百磅。一架钢琴全部琴弦的张力总计为十八到三十吨。

钢琴弦并非一般的钢丝。它用的材料是一种特殊钢种,叫琴弦钢。

琴弦必须张在弦架上。老式的弦架,弦很容易走音。往往在音乐会的幕间还得临时调音。钢琴出现百年之后才有人改制铁弦架。它虽是铸铁,却是一门精密工艺,搞得好不好对琴音关系很大。

所有这些,若非工业技术发展,焉能臻此?

灵巧的击弦机

手指触键,琴弦发声。轻重疾徐,抑扬顿挫,乃至音色上的微妙变化,都可以控制如意。这一切全靠的是琴内有一组灵巧的机构。它便是同键盘相联结的那个击弦机。

看上去它貌不惊人,无非是些小木条、弹簧、螺钉之类连缀而成,似乎远不及钟表机械那么复杂精密,然而,它却是手指的延长,钢琴的灵魂,是几百年来多少巧匠心血的结晶。

李斯特作品中那些疾风骤雨似的段落,肖邦写的那些如歌如诉的旋律,全都有赖于这套灵敏的击弦机,才能实现为具体的音乐。

钢琴是怎么唱起来的？我们不妨来看一看这里面的细节。当手指尚未触键时，琴弦寂然无声，这是因为弦上都有制音器压着。等你的指头一按下去，击弦机中的小琴槌便应手击弦。与此同步，那制音器立即闪开了。假如按住琴键不放，弦音便自由延长下去。但此时琴槌已在一击之后马上缩了回去。这样就不至于妨碍琴弦发音。等到你一释手，制音器又迅即将琴弦捂住，不让它再响。琴声为什么会随着指与键的动作即鸣即止，简单过程便是如此。实际上那个小槌的动作相当复杂微妙，演奏技巧的某些奥妙同它大有关系，在此就不便多谈了。

击弦机的"心脏"是擒纵器（顶杆）。靠了它，琴槌才能"一擒一纵"，服服贴贴，不会在击弦时乱动一气。当初首先搞出这东西的便是意大利的克里斯托弗里。钢琴的诞生多亏了他。

试听《钟声》，这是李斯特据帕格尼尼的小提琴曲改谱的钢琴曲。其中好多地方是同音快速反复，效果颇像琵琶上的轮指。这便在考验击弦机的灵活性，又好像是对它的一种折磨。但击弦机是吃得消这折磨的，这又得归功于那个振奏机构（复振奏机），是一个法国人叫埃拉尔的发明，时在 1821 年。

钢琴的键盘机械部分一般有几十年的寿命，但那些不断敲打琴弦的小槌却是短命的。说到这些小槌，它又自成一项特殊工艺，其奥妙又在于槌头上包的几层硬度不同的毡。它对琴音优劣关系非小。在装配钢琴时要精心调整这些槌头，务使各键的音色保持匀称一致。否则就会参差不一，令人不能入耳。

是机械又是工艺品

小提琴出世比钢琴要早，在它定型以后变化不大。而比它年轻的钢琴两百多年来却在不断地更新，成为一种越来越完善的"音响机械"。然而，同时又不失为一种优美的工艺品。

当初克里斯托弗里这位钢琴之父手造的琴，音域不过四组半音。1790 年开始有五组半的钢琴。莫扎特写的那些钢琴曲，包括协奏曲在内，在五组的风琴上也可以弹出那些音来。而库劳（1786—1832 年）的小奏鸣曲，五组就不够用了。

1794 年有了六组的琴。李斯特 1824 年在巴黎登台，弹的琴也才六组。19 世纪 30 年代肖邦所用之琴是六组半的。

现在音乐家们用的钢琴是七又三分之一组的，即八十八键。市场上也出现过八组的钢琴。

现代钢琴的这一音域意味着什么呢？要知道，管弦乐队中的弦乐组，从低音提琴到小提琴，整个音域不过七组。至于管弦乐队的整个音域也就是八组。

钢琴的音域扩展了，这对作曲家来说是一种"解放"。贝多芬显然受到当时钢琴音域的束缚而不能畅所欲言。他谱写那些奏鸣曲时，往往只得"高拉低唱"或反过来。这从谱上是不难看出来的。后来，李斯特就揣摩作者原意，大胆加以变动。

莫扎特当然也碰到这种使他不能尽情发挥的情况，但他有时会作出巧妙的措置，不去削足适履。

肖邦有一首圆舞曲，作于1838年，曲中有一个降A音，科托（钢琴家、肖邦专家）指出，这个音显然应该高八度。但是键盘不够，只得将就了。

钢琴越造越新，越是追求响亮。这自然是反映了乐风与欣赏趣味的演变。但一个重要的背景是，演奏家的用武之地已经从宫廷与沙龙搬到了宏大的音乐厅。同时，炫技的倾向也必然需要强大的音响来配合。

这样，钢琴便从莫扎特时代的曼声娇语一变而为今日的响若洪钟。当然，它同样也可以轻如耳语。

这种变迁，又牵涉到音乐风格的表现。行家们认为，如今人们听到的莫扎特钢琴协奏曲，根本不是当时维也纳人听到的那种韵味，乐队太大，音乐厅太大，钢琴也不是当年莫扎特所弹钢琴的那种音色。总之一句话是完全失掉了那种优雅而又亲切之感。

于是，苛求的鉴赏家甚至主张，应该一切复原，连钢琴也得仿造一架，一切按原样演奏，庶几可能再现那风格（其实这里还有另外一些问题，后文中会谈到）。

要琴声响亮而又优美，整个机构都得改进。于是琴槌变大，琴弦加粗，也绷得更紧了。这架"机器"必须经得起无情敲打。不是笑话，李斯特就有过弦断槌毁的事！以往的音乐会，往往少不了一架备用的琴和调音师侍候，现在无此必要了。

　　大约在《共产党宣言》发表（1848 年）之前，钢琴这东西基本上是一种奢侈品，只供富贵人家享受使用。像舒伯特这样的穷汉可买不起，德沃夏克在成名之前也只好上友人家借弹。友人故去，该琴便遗赠给他。那年间，名牌厂家年产不过几百架。是手工生产，价钱大而销量有限（对比一下：1985 年上海钢琴厂月产五六百架）。19 世纪中叶，一架三角（平台）琴，价格一百四十英镑。立式（竖台）琴是五十镑。欧美等地合计起来年产量不超过五万架。到了 1910 年，仅仅美国的年产量就达到了三十七万架。然而对照 1850 年收入水平来看，钢琴的售价反而跌了一半。第一次世界大战爆发那年（1914年），只要花三十镑就买得到一架立式琴。

　　以往的钢琴厂，是个小而全的作坊。大部分零件都可以自行制作。以后便高度分工，有些厂家专门供应各色零件，乃至整套击弦机。于是专以组装为业的小钢琴厂也便如雨后春笋急剧增加。这恰似今天用现成的机心组装成录音机之类的产品一样。

　　到了 19 世纪后期，在欧美，中产以上人家的客厅里，少不了一架钢琴。是乐器，也是摆设。

　　很有意思，恩格斯写给马克思之女劳拉的信中提到他的"钢琴放在壁炉和折门之间的角落里"（时在 1884 年）。而往往被逼得要搬进贫民窟的马克思，当然是买不起琴的，不过马克思也在给恩格斯的信里谈到女儿们学琴之事。

一到 20 世纪，钢琴遇上了劲敌：留声机、收音机、录音机、电子琴等等。音乐欣赏的媒介发生了大变化。但是钢琴自有其存在的价值。据 20 世纪 70 年代的统计，全世界年产百万台，估计有上千万的人弹弄这乐器。至于中国，"钢琴热"还仅仅是个苗头而已，热闹还在后边。

各式各样的钢琴

在钢琴史上的前期，厂家造的都是大型三角琴。像莫扎特生前所用的一架，虽只有五组，却是三角琴，现今仍收藏在萨尔茨堡。一度流行过一种三角琴的变种，长方琴。其形有如一张大的长方桌。然后便盛行立式琴。有一幅画，画着李斯特为维多利亚女王弹奏。当时他弹的即是此种立式琴。

除此以外还出现过具有某些特殊功能的钢琴，甚至还有稀奇古怪的。略举几种如下。

有一种双体合一琴，等于是两架三角琴拼合在一起，可以两个人面对面地联弹。还有将钢琴同羽管键琴或小型管风琴联为一体的。1825 年，十五岁的肖邦曾在沙皇亚历山大一世御前表演，弹的正是后一类型的琴。

有一种是足键琴。我们知道，管风琴有一排足键，用脚踩奏。如今的电子管风琴也有类似装置。有人替钢琴也安上了一排足键。主要用它来练习弹奏管风琴。舒曼曾为此种乐器写过乐曲。

有些钢琴上附加了可以产生特殊效果的装置，弹奏时通过特殊踏板来控制。有的能弄出鼓、钹之声。有的能叫琴声变成羽管键琴或风琴声。前一种鼓、钹效果，可在弹奏所谓土耳其风味的乐曲时配上去，增加些热闹气氛。这倒可以算是电子管风琴的先驱了。

有一些是奇形琴。例如所谓长颈鹿型与金字塔型的。实际上也就是将三角琴的琴弦部分竖起来安放在键盘后上方。

早在 18 世纪曾有过一种琴，黑、白两种键的颜色是颠倒过来的。据说，之所以这样是意在使键盘上黑多白少，可以反衬出纤纤十指的白皙来。

反对派与改革者

钢琴越造越完善。有人形容为"从小船变成了铁甲舰"。但是仍然有人对它不满意。有的甚至要否定它。

其中有一等人是出于怀古之情。他们对羽管键琴的被淘汰总是不胜惋惜。有些人是听觉特别敏锐，讨厌钢琴的音律不"纯"，因为它用了平均律。另一些人则是因为钢琴泛滥，无处不有，给它吵得不得安宁。

除了这些"反对派"，便是改革者。他们感到钢琴还有缺陷。而且光是小改小革还不行，得给它动大手术。

有人废除了琴弦，代之以音叉。琴弦要走音，音叉是不会的，可以保持音律的准确，也省得调音。结果却是变得音色贫乏，令人厌倦。这是因为音叉的音纯则纯矣，却缺了泛音，而泛音是与音色密切相关的。

有人想增强钢琴的共鸣效果，仿小提琴之理，将原来是平面的音板改换成箱形的。但是并不成功。

钢琴的声音不能任意延长。为了解决这个难题，好多人设计了以弓擦弦的装置。这样一来，钢琴倒成了有键的提琴。钢琴的特点也就给否定了。

对此，有位发明家别出心裁。他在靠近琴弦一端处开孔，让一股气流通过它，使琴弦在受到槌击之后继续维持振动。

叫人好笑的是，1854年竟有人提出一项专利申请，是所谓"革除弦架的发明"。没有了弦架，弦无所附，怎么办？他干脆将它张在琴后的墙壁上！

键盘是一大关键。怎样才能将它设计、安排得更便于弹奏，这问题迷住了很多的人。

我们应该了解，键盘是绝妙的工具。它延长了手指，甚至可以让人"增加"手指。（虽然它也使手指和琴弦之间的关系变得间接了，不那么亲密了。）这时最不方便的一点便是键盘的安排不理想，因而给弹奏与学习造成诸多不便。这问题的根源在于键盘乐器（其中最古老的是管风琴）产生之时，西方音乐尚以声乐为主，而且很简单。古时的键盘乐器只用来弹弹旋律，也没有转调的需要。因此仅仅用相当于后来钢琴上白键的那些音也就够了。后来音乐日趋复杂，而键盘已成定局，于是只得插进一些新的键子以弥补其缺陷。音乐走到前面去了，键盘还是老面孔，害得练琴的人多费气力。

贝多芬童年泪洒琴台。舒曼急于求成，蛮干之下伤了手指，只得把当演奏家的雄心打消。这都怪键盘不科学，确有改造之必要。

肖邦却不这样看，有份他的手稿上写道：那些根据人手结构设计出键盘的人真是天才，黑键专为较长的手指而设计，是很好的支撑点。某些人对演奏一窍不通，企图把黑白键排列在同一平面上，这便使支撑点消失了。

改造键盘的方案五花八门。

有人把它改成弧形排列，有的根据左右手的指头排列顺序正好相逆这一特点（也给弹奏与学习造成麻烦），设计出两手分开的双键盘，其音阶的排列顺序，一正一反，让两手各得其所。另有一种双层键盘的方案。上下两层互相对应的各键，其音高相差七度。弹八度音程毫不困难。弹更大的音程也方便。

键盘改革方案中最富于巧思，也具备可行性的，也许要推扬柯的一种，很值得稍为具体地谈谈。

这位匈牙利人把整个键盘布置为六层阶梯。每一层都按全音阶排列。（在全音阶中，任何相邻二音之间都是一个全音，故名。）其中，奇数的三层都从 C 音开始。偶数的三层则从升 C 音开始。奇偶层相错而列。凡在传统键盘上是黑键的音，在这儿也同样作黑色，以便于辨认。这种扬柯式键盘上的键又狭又短，大约只相当于通用的标准琴键的一半。

在这种全然改观的新键盘上，八度或更大的音程都很容易弹了，因为距离已经缩短。最方便的是，所有大调音阶的指法都化为一律，所有小调的指法亦然。也就是说，只消用两种指法，便可以对付全部二十四种调了。

弹奏起来，手指在这种立体键盘上活动自如，好像在打字机上打字。

对于扬柯的这个发明，李斯特和鲁宾斯坦都点过头，认为可行。

改进了的键盘虽好，人们却至今仍在同传统的键盘打交道，正如并非最佳方案的打字机键盘的一直不能改革那样。原因当然是多方面的。

钢琴自动化

19、20 世纪之交，出现了自动钢琴。

如果在大客厅里摆上一架，那么，不会弹琴的主人可以将它开动起来，可以娱客，也可以伴舞。其外貌同普通立式钢琴一样，不过大一些，也可以直接弹奏它。

自动钢琴实际上就是一种音乐机器人。

最通行的一种自动钢琴，结构并不复杂。一条打了孔的纸带从键盘下徐徐通过。凡有孔之处，气流就得以透过。压缩空气作用于琴内的机括，推动琴键，叩弦发声。声音的长、短、强、弱由纸带上孔眼的大小长短等控制。那卷打孔纸带是按乐谱"译制"而成的。

人只有十指。这"机器人"却完全不受什么手指的限制。有些高难度的钢琴曲，大师们也不见得那么容易对付的，它却毫不在乎。

然而，自动化也便是"机械化"。而音乐艺术同机械化是不相容的。仅以演奏中的速度问题而言，哪怕是短短一首小曲，弹起来在速度上总是在微妙地不停变动。这同节拍机或钟表完全不同。只要听听电子琴上那种自动演奏的伴奏的效果，便可以感到僵死的节奏是怎样地叫人受不了。所以正如英国作家毛姆在《雨》中描写的那样，自动钢琴上制造出来的"音乐"不能代替活人演奏，而且是可憎的。

另外有一种弹琴机，倒是蛮有趣的。发明者是美国人。它有一排"假指"，其排列正好与钢琴键盘相对应。将此机推到钢琴前面，使每一"假指"对准每一个琴键。开动机器，那些"假指"便此起彼落地弹起来。

弹琴机并不是小儿的玩具。当此种新产品在市场上出现之时，帕德雷夫斯基特地打了电报去订购。此公当过波兰政府总理兼外交部长，是个大钢琴家，灌制过大量唱片。他写的那首《古风小步舞曲》，老一代的爱好者都熟悉的。

有一种自动钢琴还可以做到记录与复演，像一架录音机。当人们在这种琴上弹奏时，空白纸带上便留下了孔迹。如果将

这纸带再行输入而让乐器自行演奏，便可以再现。在录音机械
还很不完善的 19 世纪末，它为后世抢救下了一些名手的演奏
资料。至今还可以从中探索他们的技巧与风格。

自动钢琴曾经风行一时。有的大作曲家欣然为之作曲。斯
特拉文斯基的作品 7 第 1 号，就是这种东西。他很乐于去审
听自己这种作品的录音。另一位写过这种乐曲的大师是欣德
米特。

在钢琴演进史上，自动钢琴似乎可以认为是一种形似进化
而其实是异化的现象。如今，它早已退入了博物馆。

回过头去看看钢琴的老前辈

爱好者如今真是耳福不浅。连巴赫、亨德尔等人的羽管键
琴音乐都可以经常听到演奏了。而在过去，即使是这种唱片也
是相当珍奇的。

羽管键琴被挤下音乐舞台之后，人们一度简直把它遗忘
了。甚至像鲁宾斯坦、比洛、舒曼夫人克拉拉这些大师们，竟
然听都没听过这种古乐器。直到 1880 年，由于美国的古乐专
家昔普金其人的鼓吹，才又引起人们注意。20 世纪以来，羽
管键琴又成了热门。仿制的羽管键琴与演奏专家也出现了不
少。演奏巴洛克音乐时恢复其中的羽管键琴而不用钢琴替代，
也成了人们很感兴趣的话题。我们爱好者也可以从唱片、录音
带中见识到羽管键琴音乐的庐山真面目了。

举个例：巴赫那四十八首《十二平均律钢琴曲集》中第一首《C大调前奏曲》(也便是古诺用它作为伴奏部分，填上他自写的曲调，使之化为《圣母颂》的那首)，听听羽管键琴上的演奏，真是别有一番风味，而这正是它的"原味"。

具体讲起来钢琴的前辈有两种。一种是羽管键琴，因其用羽管拨弦。它的声音强弱变化幅度不大，音色有些单调，往往杂有噪声，声音既难延长也奏不出圆滑奏的效果，总之缺陷不少。当时有些讨厌它的人形容它的声音有如"烤肉叉在鸟笼子上刮"。

另一种是楔槌键琴，它的琴键尾部装着一块小小的楔形金属块，击弦成声。这一特点使它接近于后起的钢琴。它的音色比羽管键琴美得多，力度上的变化也比较丰富，可以轻重如意，这一点也与钢琴相似。难怪老巴赫对它特别赏识。

最独特的是，这种琴还可以像小提琴上揉指那样使其发音作微妙的颤动。这一效果，钢琴上是办不到的。

最可惜的是它的声量太微弱了。因此在当时不如羽管键琴吃香，后来也无法同钢琴竞争。

平时我们说起古典键盘乐器或听到的见到的，都只是前一种拨弦的。巴伐利亚歌剧院带来用于《费加罗的婚礼》中的，哥仑古乐团来华演奏的也都是此种。而明末利玛窦带来的却是后一种楔槌键琴。他将这作为贡物献给了明朝的皇帝。一同来华的教士中有人还曾奉旨入宫，教太监们弹奏。如此说来，这些挑选出来习琴的太监也许是中国最早弹奏楔槌键琴的人了。当时还行过拜师之礼，包括向乐器行礼！（见中译本《利玛窦中国札记》第四卷十二章。）

从六指弹到十指弹

"十个指头弹钢琴。"原先并非如此。在巴赫之前的时代，大指与小指并不参加弹奏，犹如它们不存在似的。也就是说，弹琴时每只手只用中间那三个指头，而大小指却垂于键盘之外。

巴赫是键盘乐器的演奏圣手，他来了个大胆革新，从此才十指都用。直到贝多芬的时代，大拇指仍然有人看不起。车尔尼到贝多芬那里上第一课。贝多芬叮嘱他要学会运用大拇指，他还觉得很新鲜。

19世纪之前，一个音乐家总是既要会作曲又要能演奏。他们是一身而二任，在音乐会上多半只是演奏自己的作品。后来，分化为专搞作曲或只以演奏出名的两种人。当然，二者兼擅的仍然不乏其人。

莫扎特在音乐上无所不能，他自幼便以神童演奏家身份周游列国。后来虽然成了作曲家，但钢琴演奏仍然有名。同钢琴名手克莱门蒂的一场比赛就足以证明（不过现在也有人认为，用今天的眼光来看，他的弹奏技巧算不了什么）。

在耳聋之前贝多芬主要是以钢琴家姿态崭露头角的。

韦伯是第一流的钢琴家。为了"松松手指"他可以把很不好弹的一段 C 大调乐曲临时改成升 C 大调，弹得飞快（这是他自己的《第一钢琴奏鸣曲》中的尾声部分）。他也可以把大家熟悉的作品弹得好像是第一次听到的那样动人。

舒曼一心要当个大钢琴家，只是把手指搞坏了他才转向作曲。

这样一部钢筋铁骨的"机器"，在大师们十指抚弄之下竟然发出了诗意的音响，那么丰富而微妙，的确令人惊叹。

贝多芬使钢琴雄辩滔滔。李斯特将一架钢琴化为管弦乐队。肖邦却又不同。他真正让钢琴吟唱了起来。叫钢琴去摹拟乐队，他反而不屑为之。他要钢琴用它自己独有的声音吟唱。而他所吟唱的也不都是抒情诗，有时是悲壮的史诗。这位钢琴诗人虽然名气那么大，实际上一生只公开演奏过三十次。还不都是独奏会，有些是同别人合开而他当配角的。

肖邦几乎是自学而通的，并不靠老师指点。所以他也不受陈规的束缚。据其同时代人描摹，他的发音有时如露滴、宝石那样晶莹夺"目"。

鲁宾斯坦的音色被人形容为"金色"。

钢琴到了德彪西手里（他也是出色的演奏家），又焕发另一种异彩。通过某种"抚爱"似的触键，配合上复杂的踏板运用，他能够从这架"机器"中诱发出前所未闻的音响。据那些听过他演奏的人说，他总是弹得很轻，听来有如雾里看花。有时候几乎淡不可闻，就好像那琴音不是靠琴槌叩击出来的。琴音仿佛在朦胧的虹彩中"化入化出"。有人说，对他来说，钢琴是他与之对话的密友，而不仅是一个传送消息的信使。

从只用六指到十指并用，弹琴在 19 世纪前仍然只是双手的劳动。自从发现了延音踏板的妙用，钢琴家从此手足并用了。

开始重视延音踏板的是贝多芬。李斯特和肖邦等人更加精心运用踏板，开拓了钢琴音乐的新境界。到了印象派时期，踏板进一步成了德彪西实现其表现意图的重要工具。

当你踩下这个延音踏板时，所有的制音器便统统离开了琴弦。因此，指虽离键而音仍延续。如此，便可以腾出手来去弹奏更多的音以及那些本来够不到的键，钢琴家无异是多长了一只手。同时，由于制音器放开了所有的琴弦，于是一部分被叩击而鸣响的琴弦便唤起了另一部分弦的共振。这使音响得到了增强。一般人往往只是借此造成响亮热闹的效果。然而德彪西着眼的是另一种效应。因为在多弦共振的混响中，某些泛音的相互干涉与融合，可以形成非常微妙的音响。这种效应，不妨用我们中国水墨画的"水晕墨章"来形容它。

延音踏板的巧妙运用，被认为是释放了钢琴的精魂。有人断言：如果要问，以 1800 年为分野，钢琴演奏法在这前后的最大变化是什么？那便是踏板的运用。

这种"脚下功夫"比指上功夫更难以言传与掌握。

唱独脚戏

贝多芬那时还没有什么"钢琴独奏音乐会"。钢琴家只是综合型演奏会中的角色之一。李斯特时代,钢琴身价大增,逐渐形成了开独奏会的风气。后来的比洛与鲁宾斯坦气魄更大,举行过一种系列独奏会,按着音乐史的发展来介绍钢琴文献。

即兴演奏就是临场取一主题,敷陈为一曲,是贝多芬的一绝。据记载,那真是震撼人心,催人泪下。后来就很少有这种做法了。

比洛在美国举行了一百三十九场演奏,全都不看谱,只凭记忆背奏。鲁宾斯坦开"历史演奏会",也是背奏。勃拉姆斯对巴赫与贝多芬的全部钢琴作品背奏如流。陶西格能记忆钢琴文献中"一切值得演奏的"东西。

滑稽的是,1861 年,哈莱在伦敦背奏了贝多芬作品,《泰晤士报》却在评论中斥责他"竟敢如此"。逼得他再次演奏时把一本乐谱摆在面前装装样子。

学钢琴的,谁人不知车尔尼。他三岁开始练琴,七岁能记下自己的乐想。十五岁开始收徒。虽然条件苛刻,还是其门如市,每天得授课十小时。这人记谱抄谱也是高速,难怪他毕生写的乐曲竟有千部。他是贝多芬之徒(但在自传中说自己是跟父亲学的),李斯特之师,在钢琴演奏技巧的发展上承先启后。肖邦常常同他四手联弹,认为其人比其作品要可亲得多,其实他所作多是练习曲或练习曲性质的。

从双手弹奏到多手弹奏

钢琴是件独奏乐器，但也可用来两人乃至更多的人共弹。既可表演，又大有用于教学。其中最常见的是四手联弹。舒伯特的《军队进行曲》，本来便是四手联弹曲。小莫扎特同他那天分不弱于他的姐姐一起练习联弹的那幅画，也是大家都熟悉的。不妨注意一下，画中莫扎特的右手同他姐姐的左手是交叉着弹的。（独弹时也有两手的交叉动作。据考大约是多梅尼科·斯卡拉蒂提倡起来的。虽然他块头大，这样弹并不轻松。）

还有一种两架琴的二重奏，音响丰富，可用以演奏交响音乐的改编曲。钢琴协奏曲的排练或小规模演出，也利用这方式，其中的一架便弹原来的乐队部分。

好多我们熟悉的名曲，原本是四手联弹钢琴曲。例如勃拉姆斯的《匈牙利舞曲》，德沃夏克的《斯拉夫舞曲》。

1831年巴黎的一次慈善音乐会上，李斯特、肖邦、车尔尼等共六位大师，各据一琴，由李斯特先弹个引子，然后其他几人依次各弹变奏一段。其间的联结部分与最终的尾声也由李斯特负责弹奏。

还有某些古怪滑稽的联弹方式。巴赫有个孙子，是他最喜欢的。此人写过一首三人共弹一琴的乐曲。法国有个女作曲家叫夏米纳德，比才曾经夸奖过她，作有一曲，需要四人挤在一架琴上弹。还有人写过"两琴三手"的乐曲，即有一人只用单手。

瓦格纳名作《名歌手》序曲，和声与织体非常丰富复杂，原来是管弦乐曲。如改编为独奏钢琴曲，效果会大为逊色。为了摹拟那繁复的效果，有一种改编曲用三架琴三人合奏。

以前最庞大的组合要数 1869 年那次，在里约热内卢的"巨怪音乐会"上，由三十一人联弹十六架琴。但是 1984 年奥运会开幕式中的八十四架钢琴大合奏又破了那老纪录。

钢琴文献浩如烟海

在各种器乐曲中，钢琴曲的数量要居第一。莫扎特的大贡献是二十几部钢琴协奏曲。贝多芬的三十二首钢琴奏鸣曲，钢琴家奉为"新约圣经"。他还写了五部钢琴协奏曲，两部庞大的变奏曲。

英年早逝的舒伯特，在钢琴作品方面留给世人十五首奏鸣曲和一些即兴曲、幻想曲。现代的爱好者对它们愈来愈觉有味。

舒曼所作钢琴曲，大大小小有几百首。门德尔松光是《无词歌集》就有一厚册。

肖邦虽然天不永年，也留下近百首作品。李斯特不仅有百来首自作，还有一大堆改编曲。

柴科夫斯基、勃拉姆斯、格里格、德沃夏克、德彪西等等都写了大量的钢琴作品。

如果把这份目录再向前延伸到巴赫、亨德尔及其同时代人，他们为羽管键琴写的乐曲也都可以移植于钢琴。再向后延伸到印象派之后，把斯克里亚宾、拉赫玛尼诺夫、斯特拉文斯基、巴托克、普罗科菲耶夫、格什温……直到把当代作曲家都包括进去，那将是洋洋大观的一份节目单。

这里还不算那些音乐史中排不上号的作品。比方，《少女的祈祷》是曾经极度流行的一首沙龙钢琴曲。其单张乐谱畅销多年不衰，数以百万计。这是因为它那温情脉脉的调子，简单然而有效果的手法，使它很可以让一些喜欢卖弄的淑女们露一手，博得一片彩声。这首小曲的作者是位短命的波兰女作曲家。传世之作，仅此而已。穆索尔斯基大概因为到处有人大弹此曲，且自作多情，一遍又一遍地弹之不厌，气得他戏作一曲，漫画风的：写一女人弹此曲，但那琴是走了调的。

但是也有很少写甚至不写钢琴曲的大师。在柏辽兹作品目录中你就找不到一首钢琴曲，倒反而可以发现一部文字作品，即列为作品第十号的《配器法》！

瓦格纳也只留下十首钢琴作品。

钢琴文献尽管难以历数，但从音乐会上的节目和爱好者的选择来看，真正得到广泛流传的却又为数不多。听众一时崇尚贝多芬，一时又爱好莫扎特。舒伯特的钢琴曲只是到现在才行时。李斯特、肖邦总归是受欢迎的。但他们的某些力作却也不容易在音乐会上听到。再如贝多芬那三十二首奏鸣曲吧，除了《悲怆》《月光》《热情》《黎明》《暴风雨》《告别》这几首，此外的，人们就比较生疏了。

钢琴音乐称得上是千姿百态。即以贝多芬一个人的作品而论，早、中、晚三期的钢琴奏鸣曲便明显地不同。试取其在相去不远的时期中写的几个慢乐章来对照着品味，如果可以说《月光》中的慢乐章是幽远，那么《悲怆》是深沉而《热情》则是苍凉了。

莫扎特和肖邦的作品，一听便认得出。这是因其个性鲜明。然而听听莫扎特的第二十、二十一和二十三这三部协奏曲，又何尝是面目雷同？正如傅聪说的，这好像是三部歌剧，人物、场景各不相似。

肖邦的作品同样如此。不要说《革命》与《悲哀》两首练习曲是那样不同的两种意境，即使那许多分量比较轻的圆舞曲也是各有各的姿态。

这当然首先是反映了大作曲家创作风格的统一之中包含了多样，但也同时证明了，钢琴这种乐器的表现能量是何等巨大！

移译的功能

然而钢琴还有另外一些功能。

原为声乐作品或别的器乐曲，改作成钢琴曲的极多。尤其是从管弦乐曲改编过来的最多。这好像是一种"移译"。

舒伯特的艺术歌曲如《魔王》《圣母颂》《小夜曲》等都经

过李斯特改为钢琴曲。

有一类改编曲以歌剧音乐为题材的，如《弄臣》《阿伊达》等等，是取歌剧精彩的主题、片段，拔萃剪接而成。正因原作人们都耳熟能详，所以颇能雅俗共赏。李斯特编写了大量此类钢琴曲，充实自己的演奏节目。颇有人惋惜他在这上头浪掷了自己的才华。但也有评者认为，他改编的贝多芬交响曲固然是有价值的劳动，但更能显示功力的还是一首《阿伊达改编曲》。

管弦乐曲的改编本更有价值。前文已提到这种做法对普及交响音乐大有用处。当时一部新作往往在乐队总谱出版的同时便另出其钢琴谱，甚至提前出版，让人们通过钢琴先"读"为快。这种谱已不仅有全文照"译"，还有"简写本"或"缩编"。

就像是一部文学名著不妨有好几种译本一样，贝多芬的九部交响曲，除李斯特之外还有瓦格纳的改编本，都为世人所重。

钢琴的性能、演奏与作曲技巧的发展，保证了"译制"的质量。但是那效果总还是打了折扣的。舒曼听了李斯特弹改编的《田园交响曲》第四、五乐章，认为并不佳。听钢琴上弹的《田园》《命运》，也许有点像我们看林琴南译的西方文学名著。

然则，如果反其道而行之，将钢琴原作"译"为管弦乐曲或其他乐器曲又如何？那就好像是将文艺名著搬上银幕。只要搞得好，一般是可以比原著更为多姿多彩的。因为，改成了乐队合奏，在音色变化、音响幅度等方面都大为加强了。

穆索尔斯基的《图画展览会》原为钢琴曲，而人们常听到的却是拉威尔配器的管弦乐曲。（据说 H. J. 伍德改编本更出色，可惜听不到。）《基辅城门》是全曲高潮，那种辉煌灿烂的效果，钢琴上是搞不出来的。又如李斯特的《第二匈牙利狂想曲》，作者自己又将它改编成管弦乐曲。听了之后再听钢琴原作，便有黯然无色之感。

然而就像诗歌往往不可译那样，有些钢琴曲也是不可改编的。肖邦之作是最典型的例子，虽然他的许多作品已经被改编为各种各样的管弦乐曲或其他乐器的独奏曲。这些都颇受欢迎广为流传。然而都不能令人满意。例如肖邦那一系列谈不上深刻的圆舞曲中，有一首升 c 小调的，科托为此曲作了一条提示：应弹出梦中起舞的意象。此曲改编者不少，包括指挥家斯托科夫斯基这样的配器高手，但改编出来的总是不能传神，叫人感到像是书法真迹的拙劣摹本。特别是《升 c 小调幻想即兴曲》这样的钢琴曲，去改编它，简直是点金成铁，真可谓一"译"便俗。可惜，自命为最了解肖邦的乔治·桑，在他故后写的悼念文字中竟认为"总有一天他的钢琴曲会被改编为管弦乐曲，到那时全世界就会认识他的天才了"。

耐人寻味的是另一种现象。那就是，为什么贝多芬的交响曲改成钢琴曲仍不失其伟大的气魄呢？哪怕你弹奏的只是某种相当简化了的钢琴改编谱，也会有这种感受。而像里姆斯基 – 科萨科夫的以配器效果取胜的作品，如《天方夜谭》组曲[1]，是经不起改编为钢琴曲的。

话可又得说回来。某些钢琴曲确也多亏了改编本才得以发挥更强的感染力。我们这些爱好者，恐怕有不少人是先从小提琴上听到《幽默曲》（德沃夏克作）的。也许有的人始终没听到原作在钢琴上奏起来是怎么个味道。但是钢琴原作显然比改编的提琴曲或乐队曲贫乏得多了。又如舒曼的《梦幻曲》，编者相信，只要是听过埃尔曼灌的那张小唱片的，总不会选择钢琴原作的。同样，如果没有克莱斯勒、海菲兹、埃尔曼等人的改编与演奏，某些钢琴小品恐怕也不会如此脍炙人口。鲁宾斯坦的《F大调旋律》可以作为一个突出的例子。此曲原作一度是沙龙钢琴曲目中的宠儿，同时又流行各种改编曲。在《不列颠书目》中，这种改编曲的曲目竟挤满了十二页之多！

又如《邀舞》，原也写得"钢琴化"，有效果。如果同柏辽兹改编的管弦乐曲（魏因加特纳、兰纳也都改编过）一比，韦伯的钢琴原作不免显得有点清淡了！

普及与庸俗化

随着钢琴这乐器的普及与旅行演奏家到处大开音乐会，钢

---

1 *Scheherazade*，现在通常译为《舍赫拉查德》。

琴音乐趣尚的水平有下降之势。

今天听来不免令人吃惊，1830 年肖邦在华沙首次演奏他的《f 小调钢琴协奏曲》，乐曲竟被分割为二，当中横插进一首圆号吹的轻快乐曲，另一次，换了一首小提琴曲。在这两次音乐会中，肖邦还得弹些杂曲凑合。

与此同时，克拉拉在德国的音乐会上弹贝多芬的奏鸣曲，为了使听众不至于太感枯燥，也只得权宜地在乐章之间插进些轻松花哨的音乐。

李斯特 1842 年到圣彼得堡开独奏会。安排的节目中大部分是他那些改编曲，压台戏是一首炫技之作:《半音阶大加洛普舞曲》。如果今天由当代"李斯特"来演奏，节目单上一定会换上一批真正有份量的名作。

有那么一个钢琴手，叫贝林格尔，从 1857 到 1866 年间，也便是从他十三岁到二十二岁，天天都在伦敦水晶宫里弹钢琴。演奏曲目除了少量肖邦的夜曲、圆舞曲与门德尔松的无词歌之外，全都是些沙龙音乐的作品。其中泰伯尔格的一曲《甜蜜的家主题变奏》特别受欢迎。听众总是一遍又一遍地要他返场重演。重复演奏之多，竟害得他夜里大做其恶梦!

19 世纪中期，在业余爱好者中间最流行的钢琴曲有贝多芬的《月光》《悲怆》和含有葬礼进行曲乐章的《降 A 大调奏鸣曲》。然后流行起门德尔松的《回旋随想曲》，肖邦的《小犬圆舞曲》《降 E 大调夜曲》与《升 c 小调幻想即兴曲》，鲁宾斯坦的《F大调旋律》，格里格的《挪威婚礼进行曲》等等。

以上是那些水平较高的爱好者的弹奏曲目。至于水平较低的那个圈子，便满足于《少女的祈祷》《黄昏鸟语》《寺院钟声》《黎明鸟喧》等等。前三者，1918年纽约出版的《世界钢琴名曲集》也仍然收入了，至今我们还可看到，却很难听到了。

凡是此类"畅销商品"，都有动听（初听！）的曲调，简单的和声与老一套的转调，外加上许多华丽的经过句、装饰音。

19世纪60年代，嘉沃特舞曲与塔仑太拉舞曲[1]大为时髦。于是涌出几百首这种舞曲。还从巴赫那里搬来了许多嘉沃特舞曲，反正不会有版权纠纷。

克莱门蒂的简易乐曲、亨德尔的《快乐的铁匠》也风行过一时。

如果不是《布拉格之战》这首无聊之作，它的作者捷克人柯兹瓦拉肯定早被遗忘了。在小城市与乡下的中产者家庭里，此曲曾经轰鸣了好长一段时期。虽然极俗，全欧各地竞相翻印，风靡一时。即使在作后一百年，即1878年，马克·吐温还听见一家客栈里有谁在大弹特弹此曲。"她把那种血流漂杵的战争恐怖都表现出来了。"主张英雄崇拜的卡莱尔，也谈

1　Tarantella，现在通常译为塔兰泰拉。

到此曲是"强壮妇女们爱弹之曲"。遗憾的是今天已听不到这首"名曲",也找不到谱子,无从揣想其魅力与俗气到底如何了!

* * *

多少发明者、制造家,与作曲、演奏的大师们互相协同配合,精心创造了钢琴这能"歌"、善"辩"、工于"刻画"的"机器"——钢筋铁骨的"诗人"。

在人类所有的发明创造中,钢琴是件极可珍视的东西。列宁听了《悲怆》和《热情》,情不自禁地赞叹人类的创造力。那光荣,不仅是作曲者和演奏者,钢琴也应该有一份的吧?

从19世纪的"世纪末"以来,人类这一美妙创造物不幸遭到了厄运。

首先是它被有些音乐家贬低为打击乐器一样的家伙。随后,又有人发明了异想天开的各种演奏新法。例如:以肘击,以木条压,手伸到琴肚子里去在琴弦上又是拨弄又是用东西去刮⋯⋯

最干脆彻底的一种表演是:抡起铁槌,一顿猛敲,碎之而后已!

但是,钢琴没有消灭,它仍然发出动人的乐声,撼动着各种肤色、各个阶层人们的心灵。钢琴在20世纪80年代的中国供不应求,可为明证。

超级歌手

—— 闲话小提琴

小提琴传入中国之后

"小提琴"这个通用的中译名不知起于何时。早于它的是"梵哑铃""怀娥铃"这类音译又带点意译的译名。这乐器传入中土之后,中国人似乎不像对钢琴那么看重它。虽说北大音乐传习所、南通伶工学校的"管弦乐队"中自然有它几席之地,但个人传习的情况,资料甚少。我们只知道,丰子恺上东洋去苦钻了一段时间,回国之后却让他那支小提琴睡大觉,再也没去摸它。后来只是同人合编了一本《怀娥铃演奏法》和一本《怀娥铃名曲选》。二胡大师刘天华曾从俄人托诺夫学小提琴。刘半农留法归来还特地为老弟带回一把好琴。聂耳在上海亭子间里,冼星海在巴黎阁楼上,都苦练过这乐器。还有谭抒真。他是专攻小提琴演奏兼擅制琴工艺的。还有马思聪……再要举可就不多了。至于在《牧童短笛》《大江东去》《教我如何不想他》等作品出现之时，是否有什么中国人谱制的小提琴曲，就更无文献可考了。

然而，另有一派，值得一提。大概小提琴这洋货在我们南国的粤乐中是引进颇早的。让它同高胡、扬琴等一起参加合奏是不消说了，还有人拿它独奏。那是"无伴奏"的。技法上全然不受正统洋规的拘束。这便是那位粤乐名手尹自重的创新。真是有幸，笔者听过他灌的老唱片，有《柳娘三醉》等。效果近乎高胡而又更加刚健。弓法似乎可以认为是借用了洋法，发挥了小提琴的长处。整个给人的感受是毫无洋气，道地中国风味，而且是"南味"。那种缠绵悱恻之情，至今还似乎音犹在耳！

这又令人联想到印度化的小提琴奏法：以四五度定弦。挟琴于颔下，另一头则抵在足踝之上（演奏者当然是席地而坐了）。这种持琴法便于左手的大跳大滑。但左手却只用两个指头。小提琴是1800年传入南印的，被同化为他们的民族乐器。

在旧时中国，学小提琴的不多。原因除了难学、找不到人教以外，恐怕还因为买不到乐器。如今，虽然"文革"后期的提琴热早已冷却，好些小提琴堆在旧货店角落里吃灰，然而小提琴与小提琴音乐的确是大大普及与提高了。

古提琴

听羽管键琴如今很容易。但是听过古提琴的恐怕很少。所以，要谈小提琴，不妨先谈谈这种勉强可以算做它的先辈的乐器。

古提琴（Viol）这译名并不恰当，因为它同小提琴其实是同出一源的两个宗支。

古提琴的模样与小提琴同中有异。它那背部平而不凸。有品，但这种品同吉他之类弹拨乐器上的品又不一样。它是用肠弦绕在指板上的，可以移动调整。古提琴六弦，按四度定弦。弓子像我们的二胡弓。据说弓杆的木料通行用中国的"蛇根木"（到底是什么树不得而知）。有意思的是，卢梭曾提出，不一定非用这木头不可。古提琴的演奏姿势也特别，是垂直地夹于两膝之间来拉的。不过，也有人像拉小提琴那样拉。前一种"直式"拉奏，倒像我们新疆少数民族拉弦乐器那种拉法。

至于它那声音，一听就会感到同小提琴是两回事。它略有"鼻音"的味道。这音色上的特点与琴身的板薄、弦细而又张得不太紧等因素有关。又由于有品，即便用指按的实音，也类似空弦音。古提琴的马，弧度比较小，拉起和弦来比小提琴要方便，也颇适宜演奏复调音乐，但轻快的曲调就非其所长了。

在文艺复兴、巴洛克时代的古画上，常可发现天使、淑女们玩着一把古提琴，可见其当时的流行了。巴赫的《勃兰登堡协奏曲》中也用上了两把。17 世纪之后，小提琴兴起，才把古提琴挤走了。19 世纪末，人们对古风音乐大感兴趣，古提琴才又复苏。不但有专家专门研究它的演奏（如多尔迈，一家子都拉它，业余爱好者学的也大有人在。可能同它比小提琴容易入门有点关系。那一阵子古提琴热，招得萧伯纳说了不少尖刻的话。到 20 世纪 70 年代，据说爱拉古提琴的越发多了。

美妙琴音的不传之秘

如果拿小提琴的声音同它原先所向往的人声作比较，竟可以讲它是青出于蓝。小提琴可以像人那样"唱"起来，然而又并不局限于能"唱"。试想，小提琴奏《圣母颂》固然像歌声的无词复制本，然而，《引子与回旋随想曲》（圣－桑作）又岂是人的歌喉所能胜任？即使以"如歌"这一点而论，优势也不一定都属于人声。曾有一位名歌手认为：像《伦敦德里之歌》（爱尔兰民谣）那样美妙的旋律，交付给小提琴也许比人唱更为合适。

小提琴"独唱"时已经如此动人，而在管弦乐中，一组小提琴"齐唱"或"合唱"起来，音色又起了变化，别有一番风味。比方瓦格纳的《罗恩格林》第一幕前奏曲中，以小提琴为主的弦乐合奏，轻灵缥缈地从天外飞来，逐渐加强了响度、浓度，以至震天动地，然又于不知不觉中弱化，渐行渐远，终归于无何有，就是一个好例子。无怪乎在小提琴成了管弦乐的主心骨之后，乐队也就有了迅猛发展。

拎起一把小提琴，不过斤把重，轻得出奇。但如果上紧了琴弦，这娇小玲珑的乐器身上承受的压力与张力之大，说出来又会吓你一跳。

它的面板所受压力约有十一公斤。最细的那根弦，定准了音（即每秒 659.26 赫兹那个音高）之后，张力达到九公斤强。最粗的那根弦倒只有六公斤的张力。四根弦的张力加到一起，共三十公斤强。

偌大的力量压在它身躯上，却泰然若无其事，毫无什么不安全的感觉。更难为它的是，这乐器从头到脚都是"木结构"，全是胶合而成，并无一点金属材料。然而这浑然一体的琴身又并不像一眼望上去那么简单。它通体由许多部件组成，部件的数字在七十以上。它好比一个鸡蛋，蛋壳虽薄，却又捏不碎。其中显然有力学应用的匠心！

有关古代名琴（斯特拉瓦迪里、阿玛蒂、瓜耐里、斯坦纳等等）的佳话，提琴迷谁不津津乐道！当代女提琴名手郑京和，当她在纽约一家琴行中拿到一把朝思暮想的斯氏名琴时，据说差点晕了过去。帕格尼尼拉过的一把斯氏琴，至今还珍藏在他故乡热那亚的博物馆中，用玻璃罩子罩着，供人瞻仰。历来的小提琴演奏大师，他们的名字没有不同所用的名琴联系在一起的。古代名琴的声音被人们形容得神乎其神。也有人苦心钻研，仿造新琴。如果同古琴一起隔着帷幕拉，专家也往往分辨不出。但古琴依然价值连城。然则，那有魔力的音响到底从何而来？其中奥秘，在科学昌明的今日也仍然没有完全解开。

正好像我们中国的七弦琴，琴音好坏首先与琴材有关。17世纪的奥国名匠斯坦纳手制之琴，琴音有一种独特韵味。这种琴存世无多，有的提琴家看得比意大利古琴还重些。古琴迷形容它的音色：不像阿玛蒂琴那般散发着南国的芬芳，而是清清冷冷，略带忧伤，很容易令人联想起阿尔卑斯山间的风光。老巴赫和老莫扎特都拥有一把斯坦纳琴。据传，斯坦纳这位脾气古怪的匠师，总是亲自上阿尔卑斯山区去精选琴材。他倾听那些参天大树被伐倒下时的声响，或者拿起斧头轻叩几下树干，往往便物色到了他中意的琴材。

古代名琴，工艺绝精，所髹之漆也不同凡品。这使它们辉耀着一种炫目的光泽。对于此种配方已经迷失的漆，研制者简直着了迷，总想从中探得音响魅力的谜底。但当代专家倾向于认为：再好的涂漆也无助于琴音的改善，但劣质的涂料倒会使琴音变糟。然而仍然有人认为，涂漆对音质确有影响。此事至今并无定论。

音柱，这件细如中国筷子的东西，从琴马右脚下 f 形孔中便可窥见，它在腹背两板之间顶天立地地撑着。有人呼之为"魂柱"，足见其关系重大了。但如用一根细绳或钩子便可将它挪个位置，这又说明它并不负荷什么压力。可它在音响的传递上却发挥着重大作用。在高档琴的制作中，据说这小小音柱的调整对琴音有微妙影响。

　　另外一件重要部件，沉音杆，却不大容易观察，因为它紧贴在琴马左脚下的腹板里面。它也对决定音质负有责任。

　　当你欣赏每一位名手的演奏时，往往同时也是在欣赏他所用的名琴。有的提琴家如克莱斯勒等人，拥有的名琴还不止一具。不过说起来不免令琴迷有幻灭之感，如今犹在大师们弓下歌吟的煊赫名琴，其实已非原装货。它们很少有未曾经过一番手术如拆散、整修再重行胶合的。原琴的某些部分也可能已有了变化。一来，旧琴往往历尽沧桑，难保毫无伤损；二来，这种调整是为了让古琴适应现代演奏条件与要求。比如，古时候主要讲究音色优美，现代更要求它喉咙响亮，以便它不靠扩音器把声音传送到宏大的音乐厅后排听众的耳中。

　　于此也便引起一个话题：各种乐器差不多都曾有过变革、更新，那么小提琴是不是几百年来依然故我呢？

　　如果将现在的小提琴同 17 世纪的旧琴摆到一起，乍一看，几乎是一个模子里出来的。仔细观察便知，变化还是有的。主要的如：琴颈加大了后倾角度，指板变长了（须知，当年科雷利这位开小提琴演奏艺术之先河的大师，他的作品演奏起来不超过第三把位），琴马加大了弧度，等等。

　　这些变化之发生，自然离不开演奏内容、风格、技巧等方面的促进，而且乐器的变革同音乐作品与演奏的变化，又是相辅相成交相为用的。

　　莫扎特之前的音乐家，假如听到今日的提琴手拉起柴科夫斯基和勃拉姆斯的小提琴协奏曲，特别是末乐章，恐怕一定会掩耳不迭。柴氏之作，问世之日便遭到汉斯利克一班人的讥评，骂它是粗俗不堪。另外也有人举以上两部协奏曲为例，为小提琴叫屈。说什么，听到它在庞大乐队的音响洪流中被独奏者的弓子挤压出声嘶力竭的哀叫，令人不胜同情云云。

几个世纪之前，小提琴音乐与其演奏风格同今天不大一样。那时崇尚的是沉静优雅，主要是"如歌"的效果。人声是它的样板。其后，乐风丕变，小提琴放开喉咙纵情欢唱，也更为器乐化了。它的用武之地也发生了不小的变化，从宫廷扩展到了大庭广众。于是，小提琴的制作自然也得随之而变，既求音色美，也要喉咙响。肠衣弦改成了金属弦；定弦也随着标准音高的变动而提高了音高。这一来，琴弦的张力也便加大了。据说，有一些古琴实在吃不消这种超重负荷，竟然毁损报废了！

变革最大的要数琴弓。请看看画着莫扎特一家三口的那幅画。老莫扎特手里握的那把弓，便是 18 世纪的老式弓子。它有点像我们中国二胡的弓。但再看看法国大画家安格尔在 1819 年所作的帕格尼尼肖像吧，小提琴大师用的，却已是今天通用的这种琴弓了。

弓子的变化，适应了人们对新音响、新音色、新技法的要求。不过问题也就来了。用老式的琴弓拉 19 世纪的乐曲，自然难以胜任，就好像用一把二胡的弓子去拉小提琴一样别扭。

然而，反过来用新式弓去拉奏古曲，如巴赫所作《无伴奏小提琴奏鸣曲》，也会发生矛盾：走了味！所以，今人演奏19世纪之前的小提琴作品，在与运弓有关的韵味上终究有所不足。处理那种力度变化较为含蓄的"如歌"乐句，今弓是不及古弓的。要发挥跳弓、飞弓等技巧，古弓当然不行，但古人也不用此类弓法。

滑稽的是，有些嗜古之徒竟设计出一种"巴赫弓"，样子像老式弓而又变本加厉，加大了弓杆的弧度。弓毛在演奏中随时可张可弛。这种弓，据云用来奏三音、四音的和弦最为方便。

小提琴上现在都带个腮托。18世纪时并无此物。首倡用腮托的是施波尔。此公是贝多芬的同时代人。当时还竟有人捧他，认为他的作品比贝多芬还高明。他自己对贝多芬作品的评价也是"不过尔尔"。

在还没有腮托的时代，挟琴的下巴到底放在弦尾板的哪一侧，也不统一。塔尔蒂尼夹在右侧；维奥蒂则在左侧。腮托出世之后，一直有人不以为然，主张还是不要这劳什子好。理由是那便可以让人与琴联为一体，对发音与演奏都有好处。

旧时用肠弦，音质柔美，可惜经受不起太大的张力，一曲未终而独奏者仓皇奔入后台去续弦的情况，常有发生。西盖蒂有一次拉一部协奏曲，突然断弦，而音乐不容中断，奔往后台换弦又来不及。他沉着应变，急转身从乐队首席提琴手的手中抢过琴来接下去拉，挽救了危局。但独奏声部顿时减色，因为他自己那把琴是稀有的名琴。这种情况现在改用金属弦后，当然不大会有了。（现代又出现了新肠弦。）

演奏技巧的演变

在各种管弦乐器之中，论演奏技巧，名堂之多要数小提琴第一。

李斯特是钢琴泰斗。但在人们心目中，也许并没有帕格尼尼这位提琴圣手的魔力大。远到科雷利，近到当代名手，古往今来以小提琴演奏名世者可以开一张老长的名单。流派风格之多样，珍闻逸事之流传众口，简直举不胜举。

起初，演奏家只是致力于使小提琴像人那样唱起来。随后发现，这小家伙潜力极大，便让它突破人声的框框，到花腔女高音也够不着的音域中大显身手。于是，协奏曲便成了它的用武之地。原先，它只是在小型组合中曼声吟唱，如今竟同整个管弦乐队相抗衡，而且慷慨激昂地唱起主角来了。与海顿、莫扎特同时代的维奥蒂，便是制作与表演这种炫技性协奏曲的先驱者。

远在 17 世纪，小提琴已经成了江湖艺人的卖艺工具。他们在四根琴弦上大耍特技，靠着那些颤音、震音、泛音、双音等等技法，炮制出笛声、鼓声、犬吠、蛙鸣、百鸟争喧，乃至猫儿叫春……恐怕颇似我们中国的单弦拉戏哩！

　　继之又有人发明了人工泛音、左手拨弹、快速双音、"独弦操"等诸般技巧，但时间一长这些也变成了家常便饭。

　　维奥蒂、帕格尼尼这些人，虽不免也带点江湖气，到底是真正的艺术家。那些哗众取宠的技巧，到了他们手中，还是可以为艺术所用的。比方帕格尼尼，虽说也靠某些绝招来吸引一般听众，然而我们应该记住，在那一座皆惊的听众当中，并非都是附庸风雅的门外汉，还有李斯特、柏辽兹、舒曼这些大师在。而他们也都情不自禁地让那个据说是魔鬼附了身的艺人迷住了！他们可绝不是容易受骗的。可以断定，这位提琴怪杰在艺术（不仅是技术）上是真有两下子。遗憾的是唱片的发明迟到了几十年。但我们从克莱斯勒、埃尔曼等人所录唱片中所得到的享受来推度，也可想见帕氏当年的魅力了。

　　那么，提琴演奏技巧是否到了帕氏便登峰造极空前绝后了呢？据认为并非如此。他拿手的那一套高难度技巧，现代任何一名够格的小提琴家都能如法炮制，甚至也并不太费劲。至于那位当年一度使听众目眩神摇的维奥蒂，他的协奏曲如今已经成了少年琴手的练习曲。

　　这并不奇怪。小提琴的演奏与教学，到今天已经更加科学化。对每一项技术的细节都作了分析和实验，而且教授者名师辈出，虽然他们本人倒并不以演奏出名。据比较，如今的小提琴教学，一岁之功足可抵得19世纪时的两个年头。

　　也有例外的情况。像巴赫的《无伴奏小提琴奏鸣曲》这类作品，撇开艺术表现方面的要求不谈，仅以技巧而论，至今仍是小提琴演奏中的难题，并非那么容易对付的。还有20世纪的现代派作品，稀奇古怪，非复常理，例如"十二音体系"的乐曲，拉起来在音准、节奏上都不大好掌握。

技术同艺术之间不能划等号。这在小提琴演奏上也是一样。小提琴文献中那些感人至深的篇章，往往并非什么难奏的乐曲。举个例，莫扎特有一首《G大调小提琴奏鸣曲》，从技术上看可谓轻而易举。然而听众（如果是真正识货的）得到的享受，绝非帕格尼尼某些技巧艰深的作品所能及。

技、艺之分

19世纪以来，最受听众宠爱的那些小提琴名作，几乎没有一部是身怀绝技的小提琴家所作。如果从重技巧还是重音乐内容这个角度来看，小提琴协奏曲可以分为两大类。重技巧的，是那些小提琴家们的大作，数量极大。如维奥蒂便写了二十九部。帕格尼尼那几部协奏曲也可以归在这一类里。这一类作品，当时很讨人喜爱，后来有不少便被演奏家束之高阁了。

科雷利、塔尔蒂尼和维瓦尔第这几位大师，都是一身而二任。他们又是演奏家，又兼作曲家。巴赫的小提琴据说拉得不怎么样。也许，他写的那些难得要命的作品，他自己不见得能示范。亨德尔对小提琴演奏只是略知一二。但他写的几首小提琴奏鸣曲，倒是有生命力的。

海顿从小便拉小提琴，可惜他写的几部协奏曲价值不大。

莫扎特的父亲利奥波德是知名的小提琴教育家，有教学专著行世，是当时最重要的音乐学著作之一。在父亲的熏陶之下，小莫扎特蛮可以成为演奏高手。可惜——也许倒是值得庆幸的，他转向了作曲。否则，人类虽然多了一位小提琴家，另一方面的损失可就无法估量了。

莫扎特所作小提琴协奏曲，有三部堪称杰作。另外两部，真伪难辨。他对炫技效果不感兴趣。在某些爱好者听来，他写的那些小提琴奏鸣曲里蕴含着更大的艺术魅力。

贝多芬在童年就被逼着学小提琴。一般认为，迄今为止，所有的小提琴协奏曲中，最受到尊崇的一部便是贝多芬写的。这也是他唯一的一部小提琴协奏曲。

虽然据他的门生里耶讲，他拉琴的水平很糟，可是这部协奏曲写得相当"小提琴化"，同时又极为素朴。难怪在贝多芬生前，此作难得有谁公开演奏。显然因为，在技巧上没有什么好卖弄的。直到他死后十七年，即1844年，十四岁的约阿希姆在门德尔松指挥下演奏此曲成功，从此才为世所重。

贝多芬还写了两首可看作"小协奏曲"的《浪漫曲》。F大调的那首尤其令人心醉。这样美妙的作品，当年却难以找到买主。乐谱商不感兴趣。原因是，对专业者来说，它们太"简单"了；而业余小提琴手又会觉得难了点。

贝多芬的十部小提琴奏鸣曲，也是小提琴音乐的宝库。最负盛名的自然是《克莱采奏鸣曲》了。这跟托尔斯泰以它为题的小说不无关系。

在演奏家的保留节目中，排在前列的小提琴协奏曲，有柴科夫斯基、勃拉姆斯、门德尔松、圣-桑等人的作品。除了门德尔松，他们都不会拉小提琴。柴科夫斯基和勃拉姆斯两位谱曲时都曾就技术问题求教于小提琴家。柴氏这部作品，起初奉献于小提琴教育家奥尔（埃尔曼、海菲兹等好多名手都是他的门墙桃李）。奥尔看了谱，认为"不好拉"。勃拉姆斯就正于好友约阿希姆。回答是：不能说它不好拉，但有谁乐意在暖烘烘的音乐厅里拉如此费劲的东西，那可难说了！

柏辽兹这位配器大师，只会弹吉他。[1] 钢琴、小提琴他都不会。在他的作品目录中，小提琴作品只有一部（《沉思与随想》，小提琴与乐队），而且并不重要，虽然颇可一听。

德沃夏克虽然为大提琴写了他最好的作品之一（《b小调大提琴协奏曲》），却为小提琴写了些不足道的作品。

西贝柳斯当过小提琴手。成了现代大作曲家之后，他居然雄心勃勃，想登台拉自己的作品。

经得起时光筛选的小提琴协奏曲，为数并不多。其中出于专业提琴家手笔而能列入音乐会常演节目的，更是稀少。可举

---

1 编辑注：这是作者当时掌握的情况。事实上，柏辽兹也善吹长笛。

的如帕格尼尼、维尼亚夫斯基、维厄当等人所作。

帕格尼尼虽然风魔了那么多听众，当时与后世的小提琴家
却颇不以他为然，嫌他有江湖气。施波尔对他先是钦佩，后来
便反感。至于像约阿希姆、伊萨依这样严肃的乐人，如果有谁
当面恭维他们像帕格尼尼，他们简直要怫然作色，认为是在嘲
弄他。

小品热及其他

小提琴音乐大约可分四类。其一是协奏曲，其二是有键
盘乐器合奏的奏鸣曲，其三是无伴奏奏鸣曲，其四便是所谓
小品。

小提琴演奏与欣赏中掀起一股小品热，是从 19 世纪后期
开始的。这种小品又约可分为两类。一类是创作的，另一类则
是利用其他乐曲改编而成。

从歌剧中采择那些脍炙人口的咏叹调，改编为小提琴曲，
这从帕格尼尼时起已经时兴。小提琴改编曲正如钢琴改编曲
一样繁多。有些小品是用民歌改作，如《伦敦德里之歌》。有
些是钢琴小品的移植，如《F 大调旋律》《幽默曲》《春之歌》。
此种移植往往更加突出了旋律美，比钢琴原作更为动人。有些
小品是从艺术歌曲改编的，如舒伯特的《小夜曲》，前人与古
诺的两首《圣母颂》。

有个笑谈可以证明，此种改编曲的流传竟到了喧宾夺主的

地步。据说有个顾客到一家唱片行去打听：有没有"改编"为歌曲的《圣母颂》？

还有些小品，本是某一部合奏曲中之一章。如巴赫的《G弦上的咏叹调》。其实它本来既非独奏，也不都在G弦上演奏。又如海顿的《小夜曲》、柴科夫斯基的《如歌的行板》，原本都是弦乐四重奏中之一章。

专为沙龙、音乐会演奏用而作的小品，更是举不胜举。最讨喜欢的大概是那些小夜曲和各种民族风格的舞曲。后者似乎以西班牙风格为尤多。克莱斯勒自作自演的《中国花鼓》属于这一类中的名篇，尽管它的中国风味并不道地。

小品热曾经久不衰，唱片是帮了大忙的。由于老式唱片每一张恰好可以容纳一两首小品，最适宜录制这种乐曲了。

有些人对小品热看不惯，觉得提琴家一窝风热衷于搞小品，未免降低了奏、听两方的水平。事实上众多小提琴音乐迷印象最深的，似乎并非那些长篇大论的作品。其实，要比艺术价值，一部言之无物徒弄技巧的协奏曲，又何尝比一首精彩的小品高明？埃尔曼拉的《梦幻》，克莱斯勒拉的《泰伊斯的沉思》等作，在爱好者记忆中的地位，绝不比某些大曲低一等。同时，要把一首小品拉得真正撩人心弦，也绝非易事。梅纽因讲过，他十岁左右已经能演奏帕格尼尼的协奏曲，但要拉好一首《美丽的罗丝玛琳》（克莱斯勒曲）他反而没把握。

不过，倘真有兴趣去深味小提琴音乐之美，恐怕可以说，协奏曲与小品之类都还不能算是理想的欣赏对象。一部协奏曲，总不免有"文胜于质"的疵病。小品则究竟受到篇幅等局限，深广度有所不足。假如能从这二者升堂入室——入"室内乐"之室，去亲近亲近属于室内乐领域的奏鸣曲等作品，就将惊喜地发现一个新境界。可能这也就是后来西方听众从小品转向奏鸣曲之故吧？

与钢琴合奏的小提琴奏鸣曲，以莫扎特、贝多芬所作为最。当人们倾听这种音乐时，可以说是直面音乐而浑忘其技巧。但偏偏也正是这种技巧似乎不难的作品最不容易表达得真切。正因为它是朴实无华，也便无所用其炫技了。

技巧点滴

炫技的作品与表演虽不足取，但有关演奏技巧的一些细节，了解它可以加深欣赏兴趣。不妨拉杂谈之。

揉弦。这一技巧既关系到发音又很能反映出演奏者的个性风格。向来认为，揉音最特别的要数克莱斯勒。他一反前人习惯，自由地、几乎是不停地运用揉音。这种揉音又同他那独特的滑指相结合，便形成了他的特殊风格。可以毫不夸张地说，一听便忘不了。

小提琴家各有各的揉音方式，成了个性与风格的一种标志。不过也有人少用甚至不用的。那位将舒伯特的《圣母颂》改编为小提琴独奏曲的维尔海姆，据说便是不用揉音的。

泛音。天然泛音早就有人运用。其声冷冷然，令人联想我国七弦琴上的泛音。人工泛音的运用比较迟，到帕格尼尼手里才大用特用。他在《钟声协奏曲》的末乐章中大量运用了泛音效果。李斯特据以改编的钢琴曲，用钢琴上最高的一些音摹拟其声。阿连斯基有一首极富魅力的《小夜曲》，其中非常恰当地运用了泛音，不但悦耳而且很有感情色彩，耐人回味。

人工泛音声如口哨。如果反复用得太多，往往令人不耐，新奇变成了刺耳。然而，根据钢琴曲改编的《吉他》(莫什科夫斯基原作)，后段的主题反复全部用人工泛音。很能传达那种老艺人穷途潦倒的悲凉心境，显示出改编者的匠心。又如大家都非常熟知的《回忆》(德尔德拉曲)这一曲中，主题的一部分用人工泛音，像是空谷回声，又仿佛依稀旧梦，同样是精彩的笔法。

左右手拨弹。右手拨弦多用于和弦。左手拨弹是难度高的巧技，往往用来与右手配搭。或弓拉与指拨并举，或二者互相衔接，或用弓奏旋律而以左手拨弹为之伴奏。如要见识这类花样，帕格尼尼的《随想曲》中有的是。萨拉萨蒂的《吉卜赛之歌》《木屐舞曲》中也有例子。当代作曲家巴托克在这方面又有新的设计，如"滑奏拨弹""泛音拨弹""震音和弦拨弹"等。

双音（及双音以上的和弦）。小提琴基本上只能算单音乐器，或者叫旋律乐器。所以它离不开其他乐器的伴奏或合奏。

但由于它可以数弦同时发声，经过作曲与演奏上的巧妙安排，它在一定范围之内也能表现和声、复调效果。这主要依靠双音，多音奏法。改编的舒伯特《圣母颂》，在反复时便用了许多双音。它不止是丰富了和声，更大有助于表现祈祷者那热切虔诚的心情。又如门德尔松的《e小调协奏曲》第二乐章中，那绵绵不绝的三度颤音衬托着高音部的旋律，手法颇为巧妙。至于塔尔蒂尼的名作《魔鬼的颤音》更是应用双音奏法的好例子。帕格尼尼首创"人工泛音双音"。我们知道，人工泛音这种奏法每奏一音必须二指齐下。所以要奏出双人工泛音就得同时用上更多的手指，其麻烦可想而知！然而这样困难的技巧，实际效果在艺术上并不怎么可取。

帕格尼尼那双妙手还能四指齐按，奏出一组包含了三个八度的四音和弦。至于通过双音多音奏法来表现复调效果的作品，有帕格尼尼的《一架提琴上的二重奏》。而最突出的例子无过于前面几次提到的巴赫的《无伴奏小提琴奏鸣曲》了。

"独弦操"。这说的是只在一根弦上演奏。这又是帕格尼尼的拿手戏。流行至今的《摩西的咏叹调》，前已提到的《G弦上的咏叹调》（巴赫原作），都只在最粗的那根弦上演奏。帕格尼尼还写了两首类似的作品。其中一首是《拿破仑奏鸣曲》。

华彩。这并非一项技巧，但它同炫技颇有关系。在流行意大利美声唱法时期，华彩首先是用于歌剧演唱中的。为了卖弄歌喉，也为了敦促他们大鼓其掌，于是在那三段体的咏叹调中，每一段都作兴外加花腔华彩。然后，模仿人声的小提琴演奏也引进这手法于协奏曲之中。

华彩部分，原来并不预先谱制，而是留给独奏者去临场即兴发挥。有一次，一位独奏家在即兴演奏华彩段时，一时兴起，大转其调。转来转去不知怎的竟忘了原调，急得满头大汗，好不容易才记起来转回原调。据传当时在场的亨德尔，忍俊不禁起立高呼，祝贺他"回到家"了。

以后的华彩都是预制的。然而作者自己写的往往并不被别人采用，演奏家或其他作曲家另行配制的倒更受欢迎。因而一部重要的协奏曲总会有不止一种华彩。例如贝多芬那部协奏曲第一乐章末了的华彩，几种不同的华彩都很出色，各有千秋。人们经常听到的是出于克莱斯勒的大手笔。但听惯之后再听听别人写的华彩也会耳目一新。

勃拉姆斯写小提琴协奏曲，干脆把华彩留给了独奏者。他的知交约阿希姆马上为它配了一段华彩，至今通常采用的便是他写的。

维尼亚夫斯基曾将门德尔松那首《e小调小提琴协奏曲》中的华彩加长。这同作曲家原意相悖，因而为人诟病。

神童提琴家

小提琴名手中以神童出名的相当多，显然同这乐器必须从小就练才可望有成是有关系的。帕格尼尼十三岁便到处跑码头献技了。约阿希姆开始学琴，年方五岁。克莱斯勒七岁时被音乐学院破格录取入学，十岁便毕了业。海菲兹六岁便公开演奏，十三岁在柏林登台，座中听众有比他成名早的克莱斯勒，听后佩服得恨不得将自己的琴砸碎！埃尔曼十六岁时已经名满天下。埃内斯库四岁就拉琴，七岁进了音乐学院。十一岁的小梅纽因，在纽约大舞台上初显身手时穿的是西装短裤。他十二岁就灌唱片了。女提琴家（自来比较稀见）韩德尔，七岁参加比赛，拉的是贝多芬的协奏曲。里奇五岁开始练琴，八岁便公演……

如今，在这神童提琴手的金榜上，又该添上我们中国几位神童的名字了！

如果训练得法，倒也不一定非要神童才学得好。日本有个铃木，独创一种"铃木教学法"。主要是仿着儿童学习本国语言的规律来进行教学。在铃木的学校里，造就出了成批的小提琴手，有的学生四岁年纪便可演奏维瓦尔第的协奏曲。

小提琴演奏艺术走下坡路？

据钢琴家霍夫曼在其著作中所说，总的来看，小提琴家的人数要比钢琴家多。

这也许是把二三流的演奏家都包括在内的一种估计。其实，出类拔萃的小提琴演奏大师是屈指可数的。

如前文所述，20世纪小提琴教学这门科学的水平远远超过了上一世纪。学习小提琴的条件也比前人优越得多。当年有哪个学琴的能从唱片、录音中去琢磨大师们的演奏呢？但是，颇有一些热心于小提琴艺术的人士大声慨叹，认为这种艺术走了下坡路。

据评论，个人风格的大同小异乃至雷同，便是一种明显的弊病。听当代名手们的表演，技巧之娴熟，表达之准确，几乎都完美到了无可指摘。然而，他们彼此之间的区别却在消失之中。例如有人指出，小奥伊斯特拉赫拉得太像乃翁老奥伊斯特拉赫拉了。梅纽因说，老柴的协奏曲，人们演奏得太多了，以致于不像别的协奏曲那样有深度。遭"过度演奏"之灾的还有门德尔松的那一部协奏曲。而这又同一些国际大赛中指定它为必拉之曲有关。有位参加大赛的资深评委接二连三地听了好多遍"门德尔松"，不禁发出了无可奈何的怨声。

据说当代小提琴演奏中有个常见的通病：拉得太快。例如柴科夫斯基的协奏曲第一乐章，如今的演奏都大开快车，而老一辈大师（如埃尔曼）的处理是大异其趣的！

这种情况算不算"走下坡路"，自然是可以讨论的。

完美的合成乐器

—— 闲话管弦乐队

管弦乐队在中国

1900 年八国联军侵华那时候，有个中国官员在同俄国军队打交道的时候见识了洋人的乐队。此人将见闻写在《榆关纪事》一文中：

"俄帅领众看俄乐。乐队四十人。排列整齐。身负铜具，盘旋数转，若中国之大号然。惟具有大小，声亦如之，细听仍与洋号无异。惟呈一书于前，承以木架。眼望口吹，似一字不能差者。音节转调皆凭乐官为指挥。华人初闻颇以为奇，久之觉甚无谓。"

这条资料记得具体，颇为难得，他见到的自然不过是一支铜管乐队，但也是一支正规的铜管乐队。

"与洋号无异"的"洋号"，显然是指那时已经传入中国的军号。"身负"的便是低音大号。"呈一书"是乐谱。乐队按谱视奏，有人指挥，这些，他都注意到了。

最后那句话也讲得老实。当时所奏的恐怕只是《双鹰进行曲》之类的简单乐曲。但对于那些头一回接触这种"蛮夷之声"的耳朵来说，"久之觉甚无谓"也是不足为奇的了。

虽然袁世凯的新军中已经有军乐队，海关总税务司英国人赫德有一个私人军乐队，在上海滩也已经出现了租界工部局的管乐队，但是正规的管弦乐队在清末还没有。

直到民初，萧友梅在北京大学的音乐传习所才组成了一支小小的管弦乐队。编制不全，演奏时所缺少的声部还得用钢琴来凑合填补。随后，在弹丸之地的南通，欧阳予倩主持的南通伶工学校却也曾拥有一支乐队。虽然它更不完备，然而在西乐东渐史上是值得记一笔的。至于上海租界上的工部局管弦乐队，编制较全，当然算个正规的管弦乐队，曾号称远东第一；然而要等到上海解放了，由陈老总做主，把它保存下来加以改造，这才能说是中国人民自己的。

如果巴赫听到了现代管弦乐队

在西方，管弦乐队也是 18 世纪以来才逐步定型，发展完备的。

巴赫和亨德尔如果到 19 世纪一游，看到当时的管弦乐队，定然会大吃一惊。巴洛克时代，乐队几乎是无定制的。作曲家写起乐队曲来用器配器也便无一定之规，除了某些必不可少的骨干乐器。假如巴赫在其某首乐曲中用上了三支圆号或四支小号的话，那只是因为他碰巧可以指望找到这些乐手来吹奏。现代乐队和它的配器法，都是巴赫、亨德尔以后的事。我们初次接触到巴洛克乐队音乐时不免感到有点古怪，原因也就在此。例如巴赫的《勃兰登堡协奏曲》，那合奏的效果同后来的乐队音乐是大不一样的。

从小到大，又复归于小

现代乐队的编制，定型于海顿、莫扎特之时。当时的乐队，一般都不大，总人数在三十上下。到了 19 世纪之初，乐队开始膨胀，以至越搞越大。今日的一支标准乐队，平均人数是八十人到一百一十人。但"千人乐队"之类的临时性演出也时而有之。马勒就作了一部"千人交响曲"，那是乐队、歌队合计的数字。

最高纪录可能是四千人。此举发生于 1872 年的美国，是一次庆祝和平的盛大演出。其中演奏小提琴三百人，演奏大提琴、低音提琴各一百人，另外还包括一支军乐队。

到了 20 世纪，又出现了采用小型乐队的倾向。现代作曲家的有些作品，是专门写给"室内管弦乐队"演奏的，例如斯特拉文斯基之作。

从配器这窗口探胜

管弦乐真是一部大百科全书。其中的每一组乐器、每一种乐器都可以写一部"传记"。这么多不同性格的乐器，是怎样进入管弦乐这个社会的，都各有其经历，真令人有一部二十四史无从说起之慨。我们只能一鳞半爪地谈谈。先从配器这个窗口来窥视一下，便可以带出不少话题。

写管弦乐曲，配器是一门大学问。像亨德尔这样的大师，《弥赛亚》又是他的杰作，但后来莫扎特将此曲的一部分重新配了器。再后又有指挥家亨利·伍德全部重配。一再重配，自必因为原先的配器效果不能令人满意了。当然还有别的因素，如亨德尔时代的乐器不完善等，说见下文。

莫扎特的为亨德尔重新配器，又曾遭到了霍普特曼（音乐理论家，不是写《沉钟》的那位文学家）的不满，竟斥之为"佛头着粪"。

贝多芬的配器，也被人指摘。瓦格纳等人还大胆加以改动。而这种改动，又引起了反对者的非难（这种改动也同乐器的改进有关）。

舒曼的配器，有点像那种傅彩平庸的油画。他对乐队不像对钢琴那么了解，配起器来似乎往往心中无数。为了保险，便让某些声部重复同一旋律，结果反而音响沉闷。就如同写字的多描了几笔，把笔锋都描坏了。他的《第一交响曲》，用圆号的召唤声作为开头。原打算造成一种他所想象的动人气氛。但由于失算，初演时令人失笑，只得改掉了。《曼弗雷德》序曲是一首杰作。但其中的第二小提琴，除了第四小节之外没有碰过一下第一根弦（最高的一根 E 弦）。此曲配器色彩之晦暗也就可想而知了。

肖邦才华绝代。在其笔下指下，钢琴化为一支五彩缤纷的管弦乐队。前文提过，他写的钢琴曲几乎是不好改编的。一改成乐队曲，反而减色不少。

但肖邦在管弦乐配器上便不那么内行了。他写的两部钢琴协奏曲，钢琴部分很精彩，乐队部分却太不相称。柏辽兹说它们是"冰冷的，甚且可以说是无作用的伴奏"。于是，忍不住要替它们重新配器的不止一二人。然而也都不成功。

贝里尼这位写过《诺尔玛》等名剧的作曲家，写出来的咏叹调美妙绝伦，器乐部分却很糟。瓦格纳讥之为"像一只大吉他上弹出来的音乐"。

《一个美国人在巴黎》的作曲者，怪才格什温，当他写《蓝色狂想曲》这首成名之作时，还不得不央请《大峡谷》的作者格罗菲帮忙配器。

肖斯塔科维奇在回忆录中尖刻地嘲骂了普罗科菲耶夫，笑他不懂配器而又找人捉刀。然而这是个疑案。我们细听普氏所作，总感到配器风格与整个曲趣是浑然一体的，很难想象出自两人之手。如果肖氏披露的属实，那么这位捉刀人也是了不起的。

由此种种，多少可以想见配器这门艺术的不简单了。

一谈起配器效果，人们最感兴趣的也许是它的色彩效应。应该说，任何乐器都有它的色彩。一种乐器的独奏，不妨勉强看成是单色图画。那么，集乐器之大成的管弦乐，便是七彩缤纷的万花筒了。于是，调色配色，便成了配器中最引人注目的手法。

打一个比方，正如印象派之前的画，傅彩一事并不突出，读拉斐尔的画，只觉其用色与其整体和谐一致；听莫扎特的交响音乐，也只感到那配器的妥帖自然，同他的整个风格是完全统一的。我们的感受并不斤斤于他的配器色彩如何。

听贝多芬的作品，我们已经意识到色彩性的效果。然而，在《命运交响曲》《合唱交响曲》这种作品中，在音乐洪流冲激之下，有谁还会分神去品味什么色彩呢？这也正如看一部崇高壮美的悲剧时不会再去注意什么布景、灯光的色彩设计，是一个道理。

然而当我们听《未完成交响曲》的时候，那里面辉耀着的色彩可就触发起全新的感受了。试听其第二乐章里面的一段（第六十五小节起）。弦乐作为背景，在其上交替吟唱着单簧管、双簧管与长笛，都各有其色彩。这样的音乐，已经绝非灰调子的图画，而是斑斓夺目的彩绘了，并且有变幻微妙的明暗推移！

自浪漫派以降，如何运用配器来发挥音色的功能，便成了交响音乐中突出的手法之一。

这其实与绘画方面的演变是"同步"的。也许是，也许不是巧合，《未完成交响曲》谱成之年，也便是浪漫派画家德拉克洛瓦的《但丁的小舟》完稿之时（1822 年）。

浪漫派作曲家、配器大师柏辽兹（他的名著《配器法》是同所作乐曲一起编号，编为"作品第十号"的），在《罗马狂欢节》序曲中，一开头便通过英国管等乐器渲染出古罗马城的吉日良辰气氛。他是自觉地着意用彩的，并非先勾勒，再上色，而是从一开始运思便把配器效果一并考虑在内了。因此，他的作品如果离开了配器改编为钢琴曲，也就会大为逊色。

和柏辽兹并世齐名的瓦格纳，也是一位"油画家"，很讲究色彩。《尼伯龙根的指环》中有许多场景，如《女武神》《魔火场》《林涛》等等，都是绚烂夺目的画面。《女武神的骑行》中，几十把小提琴，用高音区的颤音织成"音幕"，令人如同置身于风狂雨骤的高空云层。在《魔火场》中，瓦格纳用木管、竖琴点染出熊熊火焰。《林涛》中则用弦乐的震颤音，逼真而又诗意盎然地再现了万壑松风。他的这些配器名篇，神来之笔，其色彩之鲜明是 19 世纪以前的人不能梦见的。

刻意讲求配器艺术，成为此道权威的，还有里姆斯基－科萨科夫。他虽然宣称过，配器这艺术是不可能学而知之的，却又在所著教科书中开列公式，"定量"地分析各种音色的最佳配合比例，简直像化学配方。他的乐队作品，无不色彩斑斓，而以《天方夜谭》组曲、《西班牙随想曲》为最。听他的《西班牙随想曲》，我们好像欣赏一幅灿灿然的镶嵌画，感受到炽热的阳光与清凉的空气。

绘画中的光与色，到了莫奈等人手里才变成重要手段。音乐中的光与色，到了德彪西才达到了耀眼的程度。

固然，印象派音乐并非印象派绘画的翻版，但两者的相通之境是相当明显的。以《牧神午后前奏曲》为例，它难道不是一幅清丽的夏日林中图吗？德彪西用色之轻妙，很难用文字形容。即便用画家柯洛或西斯莱的妙笔来对比，也绝无愧色。何况，管弦乐的色彩是动的，活的，变幻推移，有如云烟出没。

配器风格，因人而异。勃拉姆斯之涩，西贝柳斯之浓，德彪西之轻灵，德利布之优雅……可以举一大串。

在歌剧音乐中，同瓦格纳那种浓得化不开的配器正好相反的，有罗西尼的笔法。例如《塞维利亚理发师》序曲中，流畅圆润的弦乐，潇洒自如的木管，豪爽明快的铜管，都是雅俗共赏的。

比才的配器是又一条路子，比罗西尼那一套更加明快而多彩，没有程式化，回味隽永。那位一度拜倒于瓦格纳偶像脚下的尼采，终于唾弃了拜罗伊特，转而激赏比才，大概这种生气勃勃的配器也起了很大作用。

角色分配

乐器各有各的性格。配器之"配",不妨说往往同"分配角色"相似。

《自新大陆交响曲》第一乐章里有个重要主题,它同美国黑人民谣《马车从天上来》很相似。德沃夏克将这主题分配给了长笛,而且特意用了长笛的低音区。长笛这一音区的音色,听上去仿佛是苍白的,黯淡的,却神妙地表达了一种楚楚可怜听天由命的情绪。这里的效果简直像舞台上一个重要角色的出场亮相。在同是这一作品的慢乐章里,脍炙人口的那主要主题,是分配给英国管来表演的,也是再恰当不过了。可以说是天造地设!似乎世界上之有英国管这音色独特的乐器,就是为了让它来咏唱这支华贵主题(徐迟的话)的。每听到这一主题,我总立即想起20世纪40年代听到的一套老片子,斯托科夫斯基指挥费城交响乐队演奏的。这一主题奏得空前绝后地妥帖而又美妙。那片子的片芯上把英国管独奏家的名字也印在指挥的名下,是完全应当的。

又如柴科夫斯基的《里米尼的弗朗切斯卡》中,女主人公向但丁哀诉自己红颜薄命的不幸身世。那主题,柴科夫斯基妙选了单簧管来演奏它。只要是此曲的知音,就绝不会不感到,角色只能如此安排。换上别的任何一件乐器,肯定会同窜改《蒙娜丽莎》的色彩一样糟糕。

从上述《自新大陆交响曲》慢乐章主题一例来看,英国管像是"悲旦"。再听《特里斯坦与伊索尔德》第三幕前奏，诚然也是这味道。可是这乐器到了《罗马狂欢节》《威廉·退尔》序曲中又完全变了另一种乐感。《田园交响曲》慢乐章中的单簧管，声如流莺，这又同《里米尼的弗朗切斯卡》唤起的联想全不相似。

可见，它们并不是定型的演员。

特性演员与陈词滥调

有的乐器，倒可以算是特性演员。个性太突出了。只好让它们在真正必需的场合出台。《胡桃夹子》中用了的钢片琴，就是一例。作者不但在舞剧上演之前保密（当时它还是一件新发明），在整部作品中，也只让它露了一次脸。

又如木琴。圣－桑用之于《骷髅之舞》，理查德·施特劳斯用之于《七重纱之舞》，等等；它也是不宜多出场的。

即便是竖琴这样的角色，出头露面的时间一长，必然令人腻味，甚至倒胃口。某些比较浅薄的作品中往往滥用。而惊鸿一瞥，随即隐去的手法，倒反而可以耐人寻味。

配器上的陈词滥调并不少见。田园、牧歌风味必用双簧管。林中景色用圆号。弦乐上的震音用来制造紧张气氛。需要阴森恐怖，则用得着低音大管。

这类效果，正如将美人比作花朵，最早被发明运用的时候自然是新鲜的，陈陈相因大量使用之后便不值钱了。早期的无声电影更是大用特用这种廉价的"形象化"，分门别类，炮制配乐。观众一听到某种音乐，闭着眼也知道银幕上出现了什么镜头。

也有不少歌剧与舞剧，其中的管弦乐曲，配器漂亮得像块天鹅绒。乍一听是很有吸引力的。再听下去，便感到绣花枕头里面是败絮，令人索然了。

哪怕是里姆斯基–科萨科夫，卓越的配器也弥补不了他的某些作品的内容空虚。值得一听而又令人不想多听。

有人对门德尔松的《意大利交响曲》作如是评：第一乐章的开头部分，称得上所有乐曲中最光华灿烂的片段。可惜的是，十小节之后，动人的效果便开始褪色了！

弦乐是主力

现代管弦乐队可以说是一支诸兵种合成的集团军，这支大军有四大军种：弦乐、木管、铜管、打击乐。

从 18 世纪以来，这支军队的装备、技术一直在不断发展。

管弦乐队并非乌合之众。每一种乐器进入乐队和占领位置，都有一份不尽相同的履历书。其中有个选择、淘汰的过程。

自从管弦乐队"正规化"以来，弦乐这军种一直是其中的主力部队。而且它在整个乐队中的比重是不断增长的。以今天的纽约爱乐乐队为例，仅弦乐便占了七十二人（小提琴三十六人，中提琴十四人，大提琴十二人，低音提琴十人）。这几乎是莫扎特时代一支乐队总人数的双倍。

在演奏的时候，弦乐这一群也最引人注目。各组的运弓动作整齐划一，步调一致，像军队的队列动作那么齐。

弦乐比重如此之大，是由于它表现力的优越，是乐队的主心骨。

贝多芬《合唱交响曲》第三乐章里那支崇高而真挚的主题，除了交给小提琴来吟唱，还能有什么别的选择呢？

《未完成交响曲》第一乐章的大提琴主题，《悲怆交响曲》第一乐章里，由小提琴、中提琴一同悄然唱起的主题，等等，都是弦乐的名句。

然而弦乐之所以被重用，也并非仅仅因为它能演主角。它是整个乐队的地基。它能烘云托月，也工于制造戏剧性的氛围。一支乐队，弦乐不怕多，只怕不够。弦乐弱的乐队，必然是听了很不舒服的。

弦乐既是"独奏家"，又是合奏能手。

在小提琴那一篇中谈到的种种独奏技巧，在乐队中不一定都用得上。但合奏中又另有一些名堂是独奏中不大用的。例如震音。《田园交响曲》里没它就造不成风狂雨骤的气氛。而在瓦格纳的《情死》[1] 中，这种震音又传达了一种心旌摇摇不能自

---

1 *Liebestod*，现在通常译为《爱之死》。

持的恍惚心情。又如弓杆奏法。也是独奏所无而合奏中有之。
《幻想交响曲》末章和《骷髅之舞》中便有其例。（即不用马尾
擦弦，而用弓杆击弦。）

但也有一些技巧本来只有独奏家敢用，渐渐也成了弦乐
组的集体功夫，而且奏来得心应手，效果也更胜于独奏。例
如有一种其势如狂风急雨的快速句（如《罗马的喷泉》第二
章中），还有快速拨弹（柴科夫斯基《第四交响曲》第三乐
章中的主题与里姆斯基 – 科萨科夫的《西班牙随想曲》中），
等等。

独唱的音响同齐唱合唱不一样。十几把小提琴同声歌唱，
那声音也同一把琴独奏不一样，别是一种韵味。要玩味这种效
果，下面是一个好例子。

在《天方夜谭》组曲"辛巴达航海"这一乐章中，经过一
番风雨，长笛、双簧管相继吹出了大海主题。紧跟着又由第一
小提琴组将它重奏了一遍，完成了这一幅云散天青风平浪静的
画图。这一段小提琴齐奏，入耳赛如迎面吹过来一阵爽人心脾
的海风。可以说，这里的效果是超出了听与视的联想，唤起了
更微妙的感受了。

德彪西的《大海》中有一段十六把大提琴同声歌唱的警
笔。那可又是另一种味道了。

但在管弦合奏中有时又必须用上提琴的独奏。上述这两部
作品中，恰巧都用上了独奏小提琴和独奏大提琴。衬在合奏背

景上的这种独奏音色，有点像工艺美术制作的金银嵌线，和一般的独奏音响又有所不同。

木管各有个性

木管乐器这军种，是逐渐形成的。像单簧管如此重要的角色，直到海顿那时还很少受到赏识。开始重用它的人是莫扎特。从此便成了管弦乐队中的台柱之一。

英国管，也是到了浪漫主义时期才普遍运用。试听贝多芬、舒伯特的作品，都没它的事。附带提一提，此器名为英国管，其实并非英国货。取这名字，纯属误会。

大管，倒是一直受到重用。但起初也不过是用它协同低音弦乐，加强和声的低音部分。到了贝多芬，才让它时而一露头角。他的小提琴协奏曲第一乐章之末，华彩奏过之后，有一段主题再现，是大管吹奏的。那种无比熨帖的感觉，犹如对你心脏的按摩。透露出，这位不幸的巨人心灵深处竟蕴藏着如此温柔的感情！

木管乐器，各有各的鲜明个性，因此最宜于独奏。前文已经举了这方面的例子，但是当木管同弦乐或铜管配合起来用的时候，却另有其他作用。或使弦乐的高音更显得洁净明亮，或使铜管的线条不那么棱角生硬，等等。这就又太像绘画的调色了。

铜管的进化

在活塞铜管乐器发明之前，老式的自然音铜管乐器是吹不出复杂的音律的。它们参加管弦乐，只能呐喊助威以壮声势，没有多大的发言权。

莫扎特、贝多芬也不得不受此局限，无从发挥自己丰富的乐想。但在他们笔下，往往有令人难忘的警句。

贝多芬的《莱奥诺拉序曲》(第三首)中，宣告黑暗即将破晓的小号声，论其旋律，简单之至，用少先队的小军号都奏得出。但在此际，这号声却造成了动人心魄的戏剧性气氛，不论听多少遍也毫不减弱。

莫扎特有一首短小的《德国舞曲》，其中用三支小号相继吹奏一个音，轮唱式地叠置为一个大三和弦。手法也可谓再简单不过，而那光华灿烂的效果，只要听过一遍绝不会忘怀。

铜管乐器在管弦乐队中成为一个炮兵似的重要军种，这要归功于瓦格纳。他不但将原先分散作战的铜管组成体系，还别出心裁设计了一组所谓瓦格纳大号。

圆号这乐器归在铜管一组里有点名不副实。因为它虽然是铜管，它的声音却可以做到比有的木管乐器还要软。

有人认为它是整个管弦乐队中顶难对付的乐器。演奏当中最容易出事故的也是它，也就是容易"放炮"。在唱片中，自然是听不到的，因为已经被"修正"了。

圆号的名句，摘不胜摘。随便举一些便有不少。如：贝多芬的《英雄》《命运》和《第八》《第九》交响曲中的许多主题。韦伯的《自由射手序曲》。勃拉姆斯的第一交响曲末章中一段与剑桥大学钟声旋律巧合的主题。理查德·施特劳斯的《唐璜》音诗的主题。

还有一个万万不可不提的例子：德沃夏克的《b小调大提琴协奏曲》首章的主题，在作为主角的独奏大提琴出台之前，这主题先由圆号吟唱一遍，然后才由独奏大提琴奏出。圆号似乎要同独奏大提琴竞争这一主题的专利权似的。到底这主题交给哪个乐器奏更好，令人难下结论。

圆号这乐器，很容易被贴上"田园风味""林中狩猎"之类的标签。其实它那表现的幅度是相当宽广的。在贝多芬笔下，圆号主题就表达了多种多样的含义。《英雄交响曲》第一章的主题，其意境当然是光辉而崇高。《合唱交响曲》慢乐章里，那一段宣叙风的乐句，却又极苍凉之致。再如在德沃夏克的作品中，《自新大陆交响曲》第一章的圆号主题有点严峻，然而进展到末乐章一段"密集和应"似的高潮时，圆号吹起首章主题的变形，那意境又为之一变。它同其他几个重要主题汇成交响，状观极矣！

有时候，圆号并不消长篇大论，只不过应答似地奏一个短短的乐句，却也有强烈的表情效果。《未完成交响曲》的慢乐章里有一段真正称得上是交响性的高潮。弦乐在高音与低音中交错演奏之后，出现了几小节的圆号与木管应答。在这里，圆号只不过吹了相距八度的两个音（第一百三十五小节）。然而这段音乐真不愧为罗曼谛克色彩的警笔。在这里，听圆号那特有的声口，你简直像听到一位激情满怀的小伙子的歌唱，连他的呼吸之声也仿佛可闻！

然而铜管也并非总是同华丽、热闹的场景联系在一起。《幻想交响曲》中的《赴刑场》、《里米尼的弗朗切斯卡》中的地狱景、《罗马的松树》中的《地下墓穴》等篇章中，那都是些阴惨、黯淡的画面，没有铜管便画不成了。西贝柳斯在配色上喜欢浓涂厚抹，因此也爱用铜管来图写北国的阴郁。《芬兰颂》便可为例。

打击乐用到点子上

19 世纪末叶以前，管弦乐中对打击乐器的使用可谓节约到了吝啬的地步。

翻开海顿和莫扎特的总谱，除开定音鼓之外，便找不到别的什么打击乐器。贝多芬九部交响曲的前八部也是如此。就连《田园交响曲》的"暴风雨"一章中，钹也未能插上一手。直到第九部交响曲，而且是最后一章的最后，钹、三角铁和大军鼓才荣幸地参加了。

但在《雅典的废墟》一曲中，贝多芬忽发奇想，曾要求把不论什么能制造喧闹气氛的家伙统统用上。

定音鼓的知音，首推贝多芬。他的《D 大调小提琴协奏曲》，一开头就来了个定音鼓的四音独奏。真是前无古人的手法！在《第四交响曲》中，不但在第一乐章的转调过程中让定音鼓发挥"一锤定调"的妙用，还在第二乐章中用两架鼓演奏一支节奏特殊的短小曲调。在《合唱交响曲》的"谐谑曲"乐章中，定音鼓大显身手，反复地独奏主题。

在《自新大陆交响曲》的"谐谑曲"乐章的末了，我们又听到了与上述几例同一手法的运用。但在从贝多芬到德沃夏克之间，几十年中流传的其他交响曲中，也许还找不到定音鼓独奏主题的第三例。

在贝多芬身后，定音鼓的运用更精巧了。柏辽兹《幻想交响曲》第三乐章结尾，四架定音鼓敲出一个和弦，用意是摹写天际传来的轻雷，可惜那实际效果似乎并不见佳。

门德尔松的"山水画"《芬格尔山洞》，如果从乐队中拿掉定音鼓，那怒潮澎湃的声势肯定要打折扣。

德彪西的《大海》，一上来就靠三架定音鼓的轻摇，描出了黎明时分的海色。《天方夜谭》组曲中"辛巴达航海"一章，为怒海惊涛绘声绘色，定音鼓也起了很大作用。

也还有另外一种用法。《悲怆交响曲》第二乐章里，应和着古怪的五拍子节奏，定音鼓漠然地敲击着，传达了一种无可遣怀的忧伤。由此可见，定音鼓绝不是只能凑凑热闹的。即使像《罗密欧与朱丽叶》序曲与《里米尼的弗朗切斯卡》两曲的结尾那样大播定音鼓，也纯是一种悲剧气氛，沉痛而又庄严，似乎是在大声浩叹、抗议！

有个值得一提的特殊例子。莫扎特的《g 小调交响曲》这部经典之作，如此简练，而又如此深沉。在配器上它也是言简而意赅。莫扎特竟然把定音鼓都省掉了。然而我们并没感到有什么不足。

谈到惜墨如金这一点，大师们在打击乐器的使用上可算特别明显了。他们总是"打在点子上"，如钹这乐器，在一般轻型乐曲中，用得可谓滥矣，但你听《自新大陆交响曲》吧，整部作品演奏起来近一小时，可是仅仅击了一记钹（第四乐章第六十四小节）。这吝啬的一记，是配在一串减七和弦的音型句中，同时是为下文的单簧管主题作了铺垫。

《牧神午后前奏曲》中，小号、长号和定音鼓，德彪西都摈而弗用，却又异想天开，引进了一对庞培城废墟出土的古钹。然而又只让它们各轻叩五下。

《幻想交响曲》的"赴刑场"乐章中，有一记轻轻一击的钹声，像是在阴森沉闷的行进中，有谁干咳了一声。那毛发悚人的效果，反而胜过了最后一章妖魔乱舞的喧嚣。

柴科夫斯基把中国大锣引进了他的绝唱（也是绝笔）《悲怆交响曲》，但只在最末一章快收场的时候才以"**p**"的微弱力度响了一声，其长不过五小节，恰似墓穴之门阖上了一般。

不过这也并非他的首创。在此前的 1888 年，里姆斯基 - 科萨科夫作《天方夜谭》组曲，其中已有类似手法：王子的船在风暴中触礁沉没。大锣奏响了丧钟。也不过是六小节长的一声。这音响唤起的联想是舟沉海底。随之而起的竖琴、中提琴的泛音与主题再现，像是从深海中泛起的气泡与形成的微澜，而这一切又升华为巨舶与一船人消逝了的魂魄！

两记锣声竟有如许微妙的意境！

顺笔一提，大锣这乐器，在西方曾是比较稀罕的东西。中国为著名乐队定制的特号大锣，他们相当珍视。

别以为鼓、钹这类乐器简单原始，据资料，18世纪有位音乐理论家写过一本书，专谈钹在古时候的用法。过了十二年，此公又写了一本，谈的是关于这乐器的新发现。

定音鼓就更不简单了，可以说是大有来头。鼓类乐器本来就可以自豪为人类最古老的乐器。而定音鼓之进入西方管弦乐队，另有一段不寻常的路程。它是十字军从东方带回欧洲的。亨德尔时代，英国乐队中用的定音鼓，并非欧洲货，而是从异邦缴获来的战利品。有的是从伦敦塔（古堡改作的博物馆）里借用的。当时此器虽可定音，还不能迅速改调。19世纪以来，性能提高了，使用方便了，也更加受到重用。甚至有人为它写协奏曲，让它从最末一排位置上升到唱主角。当然，这就不能只用两三架，而必须在鼓手面前排开一长列定音鼓了。

人声的引进

"丝不如竹，竹不如肉。"在音乐发展过程中，原是声乐先走一步，器乐跟上去，而又超过了人声。乐队，原是作为歌队的对立面而发展的。

在合唱音乐与歌剧中，器乐的一般职能只不过是人声的衬托与补充。当然也有瓦格纳式的喧宾夺主。

贝多芬的《合唱交响曲》，开了人声进入纯器乐合奏的先河。后来，按此办理的多了起来。像马勒的交响曲便接二连三地加用了人声。为中国唐诗谱写的《大地之歌》，人声与器乐更是平起平坐，打成一片，竟分不清孰主孰从了。在此以前，柏辽兹的《罗密欧与朱丽叶交响曲》，也是声乐与器乐的"交响"。

但上举这些都还是让人声唱着有词之歌，而德彪西在《夜曲》第三篇的《海妖》中，索性把人声当成一种特殊乐器使用，唱的是名副其实的无词之歌。

总谱、钢琴、指挥棒、速度

管弦乐总谱这东西，20 世纪 80 年代花几毛钱也可以买到一本袖珍版，并不珍奇。然而 1940 年之前，笔者只是从丰子恺译的《音乐的听法》上才有幸看到一页总谱的缩影，那是《命运交响曲》最后一章的第一页。

其实就是在东邻扶桑，虽然普及西方古典音乐比我们早，指挥家近卫秀麿也曾千里迢迢地到处借抄总谱。

打开一本总谱，每一页上都有若干行。每一行，一般是一种乐器所奏的那一部分。每一页上虽有那么多行，但这各行谱上所记的音乐，却是同步进行的。因此，这一页，实际上只相当于单音歌曲谱的一行而已。

莫扎特的乐队作品总谱，有的每页不过十行。柴科夫斯基的《悲怆交响曲》第一乐章的总谱，却排着二十一行。

瓦格纳等人用的乐队规模庞大，他们写的总谱也便明显地膨胀起来。

如果将管弦乐总谱当作图案画欣赏，古典派作品的总谱看上去显得朴质而典雅，后浪漫派的作品总谱则斑斓如镶嵌画。

演奏管弦乐曲时，指挥面前的谱台上，摊开着一巨册的总谱，而每个乐手的谱架上，却只有他演奏的那个声部的谱，名为分谱。

一目十行，在指挥来说，根本算不了什么本领，而是他必须掌握的一项基本功。否则他还要那总谱做什么呢！而且，如果他面前放的总谱是理查德·施特劳斯或马勒等人之作（更不必说如霍尔斯特的《行星组曲》之类特大型作品），一目十行也还远远不够用的。

还有更不可思议的事。很多大师是全凭记忆来指挥整部交响音乐、整部歌剧的。如果乐队中次要声部有谁奏错一个音，或是有谁没按他的要求去处理有关分句、力度等细节，都休想蒙混过关，逃过他（按，至今为止，卓越的女指挥家绝少）的耳朵。

比洛有一次从汉堡乘火车赶往柏林去指挥一场音乐会。节目中包括一部英国作曲家新写的交响曲。比洛来不及准备，在火车上才读总谱，便记熟了这部作品。一到柏林就背谱指挥了爱乐交响乐队。

这位指挥家的记忆力真是好得惊人！因为格万豪斯乐队演奏勃拉姆斯作品太马虎，他气不过，为了报复，特地开了一场别开生面的音乐会。其节目包括贝多芬的《第七交响曲》《莱奥诺拉序曲》（第三首）与勃拉姆斯的《第二交响曲》《d小调钢琴协奏曲》这样一些重头作品。演奏时，台上从指挥到每一位乐手，面前一张谱架一份乐谱也没有。同时他还兼任钢琴独奏。乐队是他一手训练出来的梅宁根管弦乐队。

管弦乐队这支合成军，没有一位统帅是不行的。要统一这一大群艺术家的意志与步调，调动其创造积极性，而又不各行其是，统帅必须拥有权威。

如其将管弦乐比作一部百科全书，乐队指挥就必须把这部百科全书读通、钻透。指挥家不一定是位独奏家。但是对手下兵士所持武器，他应该通晓其性能。也有些指挥家，同时也是独奏家。上述的比洛便是卓越的钢琴家。托斯卡尼尼是大提琴家。库谢维茨基是低音提琴家。

不消说，一个当指挥的应当精通音乐理论。然而光是有学识，不见得就能树立指挥权威。还要看他在排练场与指挥台上的真功夫。

乐队指挥又像个戏剧导演。不同的是，导演总是安坐台下看正式演出，指挥却是除了辛苦排练以外还得到台上去完成他的创造。

除了柏辽兹（不会弹）、瓦格纳（弹得蹩脚）这样的例外，指挥家同钢琴的关系太亲密了。俄罗斯钢琴教育家涅高兹说，钢琴家这概念包含指挥家的概念。而伯恩斯坦 1979 年去柏林指挥"柏林爱乐"，双方合作水乳交融。乐队钦服，伯恩斯坦则赞赏道："我从未听过如此美妙的一架钢琴！"其实，"听过"应该改为"弹过"。

按其艺术创造方式来说，更可以把管弦乐看作一架精密、复杂而又富于能动性的巨型合成乐器，指挥家便是它的一名总演奏手。这架巨型乐器，每个键都是一个活生生的人。指挥家"弹奏"着这个"键盘"，来实现他对某首乐曲的诠释。这是"导演中心"式的，同时包含着集体创作。

音乐表现艺术对一位优秀指挥家的要求，实在是太高了！此其所以真正杰出的指挥家是非常难得的。一个这样的人物之受到崇敬乃至崇拜，也就并不奇怪了。

正如管弦乐从幼稚到成熟有一段历史一样，指挥这角色与指挥这门艺术，在海顿、莫扎特之前本来是可有可无的。

1687 年吕利在为庆祝路易十四康复而举行的演奏中，手里拿根棍子击地有声，用以约束乐队的节拍。谁知他一不当心，捣到自己脚上，后来伤口变成坏疽，不治而死。

古时还有靠顿足、敲谱架来打拍子的。卢梭 1767 年在所编的音乐词典中，抱怨当时这种打拍子的噪音，把美妙的音乐效果破坏了。但他又不得不承认，这是无可奈何的。

后来，长时间内盛行一种指挥方式：由羽管键琴手弹着琴来指挥乐队。当年，老巴赫便是这样指挥乐队演奏的。

海顿在伦敦演出时，坐在钢琴面前指挥乐队。

莫扎特早先是用小提琴、然后用钢琴指挥，以后也曾用过手势。

这种所谓指挥，大概基本上等于领奏。

贝多芬十二岁在哥伦选帝侯府乐队中任羽管键琴手，同时协助他的老师指挥乐队。等他长大成年之后，已经站在乐队之前去指挥了。

总之，在一个相当长的时期内，指挥这人物，职责不明，地位也不高。门德尔松 1847 年赴英国指挥演奏自己的作品时，英国乐队的首席小提琴手（也是乐长兼副指挥）老是半路插进去，用琴弓打拍子，反而妨碍了乐队看门德尔松的指挥（后来，"圆舞曲之王"小约翰·施特劳斯也是拎着一把小提琴，边拉边指挥乐队）。

指挥手中那根指挥棒，也有过它自己的曲折道路。

1820 年，施波尔访英演出。当他从怀中摸出这根小棒时，台下一片惊诧之声。

1821 年，韦伯在柏林，指挥歌剧《自由射手》的首演，手里拿的也是根小棒。但后来他去英国演奏，手中小棒却换了个纸卷。

1853 年，舒曼在杜塞尔道夫为合唱队进行排练，竟遭到队员反对。理由是，他没依着老规矩，坐在钢琴面前指挥，却要用指挥棒。

还有今天听起来有滑稽之感的事情。早期的指挥，通常是脸朝听众背向乐队的。韦伯就是这样的。里姆斯基－科萨科夫谈到，直至 1865 年瓦格纳访莫斯科做了示范以前，此种"反向指挥"方式仍通行于俄国。

同时又另有一式：有的歌剧指挥，是面向台上的演员而背对乐队的（指挥与乐队在台下乐池里）。

吕利手中那根沉重的"拐杖"，缩成了后来这样短小轻巧的指挥棒。但它已经成了指挥家的"权杖"，是他的权威的象征。

19 世纪中叶，又有人索性丢开了这权杖而只用一双手，"始作俑"者是沙伏诺夫。据传他所以如此是因为，有一次排练忘了带它，从而受到启示。

20 世纪的指挥大师斯托科夫斯基，便是全凭一双手来指挥他的大军的。而卡拉扬又是一例。在他访华演奏时，我们已经领教过了。

指挥棒虽可以说是"手的延长"，然而双手却是更富表情的活指挥棒。

本篇开头提到俄国军乐队"呈一书于前"。据考，正正经经地按总谱而实施指挥，带头这样做的是柏辽兹。在他之前，乐队指挥的面前并没有什么谱。

一位大作曲家，并不一定是个好指挥。即使演奏他本人的作品，他也未见得能处理恰当。柴科夫斯基即是一例。

舒曼也是个不称职的指挥。他用起指挥棒来真别扭，要用线将它系在腕上防止失手落地。他心不在焉，有时竟忘了挥拍，因此在演出时出过纰漏。无怪他指挥的合唱团不欢迎他了。后来，人家只好请他专门指挥自己的大作。

勃拉姆斯虽然年轻时指挥过有四十五名乐手的汉堡宫廷乐队，不能说没经验，但后来在维也纳乐友乐队任上，干了一阵便明智地告退了。有人说他作曲家的名气越响，指挥才能的不足也越明显。尤其当时已经涌现一批专业指挥，勃拉姆斯显然是干不过这些人的。

德彪西听了别人指挥的《大海》，不大满意。后来他自己指挥此作，别人听了颇受启发。可是他指挥自己的《伊比利亚》便不怎么样，这才知道指挥这碗饭不是好吃的。

当然也有作曲与指挥兼长而且堪称双绝的。柏辽兹、瓦格纳两位便是其中代表。理查德·施特劳斯与马勒这两位大作曲家也精通指挥之道，而且长期干这一行，经验非常丰富。正因为如此，他们的交响音乐作品，能够把管弦乐的功能发挥得淋漓尽致。然而说来又奇怪，瓦格纳这样一位音乐巨头，读总谱的本事却不大行，不像其他指挥家那么流畅。

门德尔松是音乐全才，指挥起来很有气派，但并不是自始至终在指挥，往往只在每个乐章开头挥几下拍子，然后便坐下来听。听到满意处便抚掌。在一些节奏、速度需要变化转换之处，他又起来指挥几下。

如果从指挥动作来说，真是各有所好。贝多芬这位聋人指挥，当他要示意"极弱"时便躬下身去，几乎要被谱台挡住。待到"渐强"处，简直跳到半空中。瓦格纳指挥时只点出乐句，不斤斤于每个小节。富特文格勒继承了他这传统。他手中那根指挥棒，并不打拍子，而只勾勒乐句的线条。于是被有些人指摘为节拍不明。斯托科夫斯基虽只用一双手，动作幅度却大，有时火爆得如同在演戏。同他相反的是蒙特。他手不过肩，棒尖儿的晃动范围不超过几寸。至于卡拉扬，他那独特的姿态我们更是目睹过了：抬着两肘，垂着双手，半闭着眼，而那手的动作，活像在将音乐之流向自己面前扒捞一般！

从指挥对作品如何解释、处理这方面说，自来形成两派。一派，主张忠于作者规定的速度、力度等等，不该变动。一派，则倾向于灵活处置，无需拘泥原作。

演奏音乐作品，至关重要的一个问题是你采用什么样的速度。这也证实了音乐的确是"时间的艺术"。

每一首作品的速度，作曲家当然已经指定，如：慢板、中板之类。自从贝多芬的朋友马才尔发明了节拍机以后，乐谱上除了传统的速度术语以外还按此标出每分钟若干拍来。然而速度的掌握大有伸缩余地，可以上下浮动。

　　这里有一个很有意思的例子。《牧神午后前奏曲》这部印象派代表作，我们听熟了的是按通行速度演奏的，奏一遍约用八分钟。一张十二英寸七十八转的老唱片，正好可以装满。斯托科夫斯基指挥演奏的一种录音，长八分半钟。但他另有一次指挥，却足足用了十二分有半。又如贝多芬《英雄交响曲》中的送葬进行曲那一章，如果按作者自标的节拍机速度，只要十二分钟多一点。然而后来的音乐家，公认他这速度未免太快了。于是指挥家便自行其是。托斯卡尼尼指挥这作品，用了十九分钟。

　　类似这种推翻作曲家目标速度的例子还有，瓦格纳指挥《汤豪塞》序曲只用十二分钟。别人却有长达二十分钟的。

　　有一位乐队指挥是托斯卡尼尼的崇拜者。仅仅为了要说明托氏对《命运交响曲》开端处的速度把握得如何恰当，效果又是如何惊人；他竟不厌其详地撰写了一篇文章。

　　即便在我辈外行人听起来，此种速度上的分歧，也的确可以作为指挥风格的一个明显标志。《田园交响曲》的第二章可以算一个好例子。听惯了托斯卡尼尼以来通行的处理，忽然又听到卡拉扬指挥时那种相当快的速度，总觉得难以接受。

　　《自新大陆交响曲》的慢乐章，本来就够慢的了。谁知有一套苏联的老唱片，竟放慢到令人不耐。同一作品的第三乐章是快的，有一位英国指挥的录音却快上加快，大开快车。这一慢一快，都令人不能认同！

据某些专家研究，自从许多名曲越来越普及以来，听众倾向于要求奏慢一点。奇怪的是，这同现代独奏家竞开快车的倾向正好成了对比。贝多芬以来的许多作品，原来标的速度都比现今指挥们采用的快。即使如今选用的最快速度（因为各个指挥采用的速度并非一律）也比作曲家所要求的来得慢。

这有拜罗伊特剧院保存的档案为证：瓦格纳所谱的乐剧，演出时间变得越来越长了。如《帕西法尔》这部乐剧，今天演出所用时间要比当年初演拖长一个小时。

有那么一个细节，也许可以说明指挥艺术之微妙。还是上文提到的，《田园交响曲》的第二乐章开始处，贝多芬写下了一个力度记号：fp，意思是先强奏又突然变弱。凡听过托斯卡尼尼指挥录音的那套胜利公司版老唱片的，大概都会感到这里给人以一种极其舒畅的感受。不幸，这美妙的享受好像已经不可再得了。现今听到的各种录音，包括卡拉扬开快车的那一套在内，对这一细节的处理，听起来怎么也"非复当年"了。

管弦大军的布阵

管弦乐队那一大堆人，在台上怎么个摆法，有它的演变，但也迄无定规。

如今通行的一种排列方式，以指挥为中心。小提琴在其左，大提琴、中提琴居其右。它们的后边是低音提琴。弦乐后面坐着木管组。铜管与打击乐器安在最靠后边的地方。

这是所谓美国式。是 20 世纪二三十年代，斯托科夫斯基在费城交响乐队实行后为大家所采用的。

还有一些指挥，喜欢将第一小提琴与第二小提琴两组分列于左右。

列阵不同，当然是为了求得最佳效果。

歌剧院的乐队安放在乐池里，排法又有所不同。瓦格纳的做法最特别，拜罗伊特剧院是他为了实践其创造乐剧的理想而建立的。那里的乐队位置，不在一个平面上，而像阶梯教室。更不一般的是，乐池有屏蔽，观众看不见它。乐声化为一道"音幕"，从舞台下的深处冉冉升起。瓦格纳这样处置，不光是为了使观众的注意力高度集中于舞台上的演出，还因为，他刻意要在现实世界与艺术世界之间设下鸿沟。

为了达到特殊目的，还有某些特殊摆法。如《幻想交响曲》第三乐章写野外景色。那摹拟牧笛应和的双簧管，是放在天幕后边吹奏的。《罗马的松树》的第二乐章写基督教传道者的地下墓穴，曲中的小号声也是从幕后传来的。

精心设计音乐的"空间效应"，使之更立体化，柏辽兹是先行者。他写的《罗密欧与朱丽叶交响曲》，总谱上注下了有关唱奏者位置的大量说明。他顶喜欢搞的是"画外音"一样的"幕后音"。上面所引的不过是其一例。此外还有《哈罗尔德在

意大利》中的香客行列那一段。最奇的还有在《基督的童年》
中，安琪儿们在舞台上一间房里唱着，歌声从室内传出，而那
通向舞台的房门像音量控制器似地慢慢阖上了。在歌剧《特洛
伊人》里有一段音乐，设计成使三个"乐器群"梯次演奏，用
以暗示那幕后的大木马由远而近，拖进了城里。

斯托科夫斯基是立体声录音的先驱。柏辽兹好像比他先行
了一步。

管弦乐队乐器的"吐故纳新"

18 世纪以来，有些乐器退出了管弦乐。例如一些古老的
弹拨乐器（琉特琴等），古老的木管与铜管乐器（竖笛、蛇形
大号等）。新陈代谢，更多的乐器陆续参军。如低音单簧管、
小单簧管（《幻想交响曲》末章用它刻画死后变丑了的恋人魂
魄）、萨克斯管（比才在《阿莱城姑娘》组曲中用得令人信
服，精彩动人）、钢片琴与钟琴，等等。

19 世纪末以来，大批录用打击乐器更成了一种风气。

与新品种被看中的同时，有些人起用了已退役的古老乐
器。《罗马的松树》中用了罗马古号。《牧神午后前奏曲》中用
庞培古钹。《波莱罗舞曲》中用了抒情双簧管，等等。

不过，有些只是为了某一部作品的特殊需要，是特邀代
表、临时客串，并未能列入乐队的正式编制。

有意思的现象是，有那么几种乐器，在管弦乐队之外，它

们是活跃的角色，可就是进不了管弦乐队。

钢琴是最突出的一例。虽然从浪漫派以来，在配器上运用钢琴的愈来愈多。柏辽兹是率先这样做的一人。他还有一个宏伟的设计，要组织一支空前庞大的管弦乐队，其编制中包括了几架钢琴。

翻开雷斯皮基的两部名作《罗马的松树》与《罗马的喷泉》的总谱，可以看见，钢琴也占了其中的两行。

斯特拉文斯基在他的一部交响曲和舞剧《彼得鲁什卡》中也使用了钢琴。

例子还有不少。然而，这位"乐器之王"始终算不上管弦乐队的常备军。（关于钢琴在现代管弦乐队中的情况，可阅美国音乐家柯普兰《怎样欣赏音乐》一书。）

吉他、曼陀铃是两种流行极广的乐器。古典吉他以其艺术表现力而言更是不可以等闲视之的。但它们也有同样的命运，只能偶尔列席于管弦乐这座殿堂。

有关管弦乐的事情谈下去没完没了，只得暂且打住。

管弦乐作为人类创造出来的一架乐器——最庞大、最完美、最精巧的合成乐器，是值得我们向外星人夸耀的吧！

"流动建筑家"怎样施工

——闲话作曲家的创作习惯

作曲有作曲法，音乐学院有这一门课。在音乐学院这类学校出现以前，作曲法的个别教学便已经存在。贝多芬就曾找过老师学作曲。他的老师还不止一个。

专业性、理论性的问题不在本书范围之内。我们好奇地想打听的是，如此美妙的许许多多名曲，到底是怎样搞出来的？对这些"流动的"殿堂进行设计与施工的建筑家们，他们是怎样工作的呢？

巴赫

关于巴赫如何作曲的情况，本人涉猎的文献有限，所知不多。

据他的儿子说，在键盘乐器上进行谱曲，并不是老巴赫的习惯。他常常只是在谱成一曲以后，才拿到键盘乐器上试奏一番，听听效果如何。

巴赫从来没有远离故土，周游历国，然而他对同时代人的作品所知广博。对前代大师之作，他也完全通晓，包括帕莱斯特里那的作品在内。善于从同代、同行的作品中咀精吮华，为己所用，他那本领在音乐史上是突出的现象。恐怕也正因为如此，"小溪"成了"大海"。巴赫一词，德文原意是"小溪"，试看《田园交响曲》第二乐章的总谱，贝多芬题的"溪边景色"中，便有这个词。"不是小溪，是大海！"乃贝多芬的名言。

巴赫并不属于那种灵感一来一挥而就的作者。他总是要反复加工，每重抄一遍，都要改动，力求完美。这可以从他的手稿上得到证实，但他的手稿又是非常整洁的。

同以上这种情况似乎有矛盾的是，在键盘乐器上即兴作曲时的巴赫，完全是另一种派头。他可以一口气即兴作曲演奏两小时而无倦色。据他的儿子讲，他行世的管风琴名作，其实是无一首可以及得那些即兴之作的。

亨德尔

亨德尔和巴赫生于同年，同为巴洛克巨匠。但这两个德国人的乐风又何其不相似，在写作习惯上他们也两样。

爱好即兴谱曲，是亨德尔的特点，终其身不改。他走笔如飞。只消看他手稿上记下的写作时间便可知，差不多大部分重大作品都是在短促得令人难信的时间里完成的。例如《弥赛亚》这一杰作，人们一谈到亨德尔便不能不联想到其中那首《哈里路亚》。全部《弥赛亚》的写作只用了三个星期。

他下笔之前总是已有腹稿。写下草稿后，再加工便成定稿。这个过程，倒颇像贝多芬的做法。但是亨德尔最原始的创作冲动却产生于信手抚弄键盘的时候。有时候，某一句歌词也可能一下子唤起了他的灵感。

总喜欢借用别人的乐思，而且是大量借用，这也是他有名的特点，也屡屡遭到指摘。如此才气横溢的一位大师，竟然经常要炒他人的现成饭，表面看来有点费解。其实他绝非原封不动，而是以对原作的发展加工作为对原主的报偿的。

只要当时需要，又正好凑手，那便拿过来用上去，不管它是别人的还是自己的旧作。有时竟不限于片段，而是整乐章一揽子搬用。最典型的例证是《以色列人在埃及》这部作品。

对这一套做法，他自己并不讳言。不但是前人作品，连当代同行的，他也这样干。泰勒曼还是他的朋友呢，作品也被他借用过。

亨德尔这一习气，当时的人都是了然的。全集中，此种借用他人材料的证据，至今还陆续有所发现。

莫扎特

现在要谈到古往今来最惊人的音乐神童莫扎特了。信不信

由你，他开始谱曲那年还是个五龄童。这首乐曲是编进了他的
全集的，标号是"K.1"（K是权威的莫扎特全集编纂者克舍尔
的省略语），是一首小步舞曲。

关于莫扎特的异闻轶事传播极广。这位神童的智能之高，
可看下例：

七八岁那年，他被带到英伦旅行"展览"（"展品"即他这
神童）。有那么一次，老巴赫之子 J. C. 巴赫同他并坐于一架羽
管键琴前，二人轮番即兴，每人弹出一段音乐，连缀成一首完
整作品。

随后，他写起交响曲来。当然比较简单，但从对形式的掌
握与技巧的运用上来看，令人难信它出于一个九岁童子。

谁人不知那段佳话：少年时，游意大利某教堂，只听了两
遍（过去说是一遍。他姐姐 1792 年回忆说第一次记的有误，
又去听了一次），便把那向不外传的一部复调大合唱给默了出
来。如此过人的记忆力，加之又擅长即兴作曲，因此他的有些
作品，起稿时根本用不着全写下来，反正都像电脑般"储存"
在心里，等到需要自己弹奏时再添上去便是。有一部钢琴协奏
曲的钢琴独奏部分，便是这种情况。

他爱在户外作曲。从其家书中可知，《安魂曲》的一部分
作于园中。

甚至在玩打台球的时候，也不妨碍他构思作曲，作品
K.487，十二首木管二重奏，手稿上自注：作于玩滚木球戏时。

他作曲神速，竟像神话!《费加罗的婚礼》这部不朽之作，只花了他六个星期的时间便完成了。《唐璜》的序曲，过去都传为临到上演"前一天"才坐下来动手写，一挥而就。现在经过核实，是"前两天"写的。可别轻看这首序曲那么短短的，论者认为，它一开始只用不多几笔便把整部歌剧的主要气氛点染出来了。可见绝非率尔之作。当然，也有人对此作了合理推测。认为，可能是构思在前，胸有成竹。

莫扎特得天独厚是无疑的，然而如果认为他是只靠天才吃饭那就错了。他曾开玩笑似地形容自己作曲毫不在乎，赛如小儿撒尿。

他身后留下许多作品草稿，零章断简。其中有一些是某一首作品开端的几种不同设计。学者对这做了深入研究后认为：作曲对于莫扎特来说也并非那么不费吹灰之力。绝不是像有些人描写的那样，什么都是现成的，只等他兴会一来，倾泻而出就行了。也不像他夫人所说，都是在头脑里完工的。不过此话也有一半对。

莫扎特本人也不以为然。他声言过：没有哪个比得上他那么用功。他说："你举不出有哪位大音乐家的作品，是我不曾反复辛勤钻研过的。"

莫扎特也常常要在钢琴上作曲。他母亲有封信上提到：莫扎特在寓中没法作曲，因为没钢琴，为此只得跑到有琴的人家去。

三十五年短促的一生，他留给后人的作品，编号编到 600 出头。绝笔是"K.626"，也便是那部盛传与他的死因有关的《安魂曲》。是未竟之作，由别人补完。

"626"这数字也许还要被改写。因为，没收入全集的佚作，至今还不断发现。

一件怪事！莫扎特死后，有人出版了一本据称是他的遗著《作曲术》。其术为用掷骰子来按数字搭配音符，制成乐曲。不需要掌握什么乐理、作曲法，只消如法炮制，便可编制出像"德国圆舞曲"一类小曲，要多少有多少。据研究者考证，这本《作曲术》恐怕确是莫扎特的大作。无独有偶，在他死前一年（1790 年），出现过一本内容相仿的书，署名海顿。其中作了数学计算与论证。认为，用书中提供的一套方法，可以组成约四百六十亿种曲调云云。

这倒未必全是无稽之谈。20 世纪有个锡林格尔，创立了一种按数理作曲的"体系"。他的《锡林格尔体系作曲术》，一千六百页，两巨册。美国有的大学还设置了这一课程。

贝多芬

"乐圣"怎样谱写他那些属于人类文化精华的音乐杰作，这自然是我们尤其想知道的事。莫扎特并非不勤奋，但他作起曲来不大费劲是无疑的。贝多芬当然也可以归入天才之列，而且是不世出的大天才。然而同莫扎特相反，作曲这件事在他是苦行似的劳动。巴尔扎克那种改了又改不能自休的劲头，贝多芬是可以相提并论的。

且举他的一首《升 c 小调四重奏》为例，此曲草稿保存下来的有一堆。人们从其中看到，写作过程中有大量乐想被他筛汰掉了。第四乐章的开头一段，他拟出了六种，各不相似。

再以他的丰碑之一，《菲岱里奥》这部歌剧为例。在作曲稿册上，有一首合唱曲，他构思了十种开端。男主角的一首独唱，前后有十八稿。写作这部歌剧的时候，贝多芬正处于事事不如意的逆境之中，而他仍然如此一丝不苟。同一年中，他还构思与谱写了《G 大调钢琴协奏曲》和《命运交响曲》两部重大作品。那刻意求工、语不惊人死不休的意志，是何等令人感动！

还有一则人所乐道的轶闻：门德尔松为了要说明贝多芬的苦心，曾用他的一份手稿为例。那稿纸上有一处改了又改，贴了十二层小纸片。门德尔松将它们一一揭开给大家看，谁知原先第一次写下的音符，竟然同最上面（第十二次改写的）一样！我们不妨联想，王荆公名句"春风又绿江南岸"中那改了十多次才定下的绿字。

贝多芬每作一曲，必先作草稿。此种草稿，起初是用的活页谱纸。从 1798 年起，改用装订成册的谱纸。写满一册又换一册，终生保存着。这些稿本，成了后人研究他的写作过程探索巨人心路历程的无价宝藏。如今这些都已影印成集公之于世。

　　有点像哲人康德，贝多芬有一套日常工作的固定程序，难得变动：一早便起身。亲手按定量磨好咖啡，伏案写作，直到午后两三点钟，吃饭。上午除了工作还要去户外漫步。实际上仍然在头脑里整理、锤炼他的乐想。散步中，不时地停下来，在随身带的怀中稿册上记下乐想。这倒颇有点像我们的李贺鬼才，出行以锦囊自随了！

　　在他日常使用的案头与怀中稿本上，涂画着似乎并不连属的素材。当时的人看了感到无从索解。如今的学者发现，其中有可以钩稽他创作思维过程的绝好线索。不过，有些仍然是个谜。

　　捏着鹅毛管笔在谱纸上作曲时，贝多芬写得比别人要慢。然而一到钢琴上即兴演奏起来，他那十个指头可就在键盘上驰骋自如了。据他的大弟子车尔尼报道，听他即兴作曲演奏的人，没一个不是眼里含着泪花的。有的人甚至大声啜泣，不能自已。

　　这里不妨插一段话，说一下为什么某几位大师的即兴，效果往往胜过其他作品。原因之一恐怕是，乐想联翩，即兴演奏可以跟上它的飞翔；拿起笔来记，可就太慢了。

罗西尼

　　贝多芬暮年潦倒。那时节，歌剧作曲家罗西尼却正红极一时。

此人作起曲来脾气特别。听他对青年音乐家是怎么忠告的：歌剧的序曲，不到上演前夕别写它。他阐明自己的理论：没有什么力量比"需要"更能激发灵感的了。一个焦急的抄谱手在场；一个绝望的剧场经理恨得从自己头上揪下一把头发。这些，对阁下的谱曲是一大帮助。

这是他的自述：我在意大利那年代，所有的歌剧演出经理人都是三十来岁就秃了顶。我那《奥赛罗》序曲是在一间斗室中赶出来的。狂怒的经理人把我软禁在那里头，只给我一盘通心粉，威胁道：不写完最后一个音符，休想出去！另一首序曲，我直拖到歌剧要开演的当天才写。四个搬景工人看守着我。他们奉命，我写好一页谱他们就从窗口扔下去，给等候在楼下的抄谱手去誊清再传给乐队。要是我不老老实实完工，就把我本人从窗口扔下去。

舒伯特

紧跟着贝多芬出现于乐坛的，是又一个莫扎特型地倾泻音乐的大天才。舒伯特不是神童，但他那爆炸似的创作力，恐怕连莫扎特也不如他。同贝多芬的笔头慢正好相反，他下笔便不能自休。那股音乐的洪流，是从十七岁便开始汹涌而出了。十八岁，谱写歌德作诗的《魔王》，据在场目睹者的记述，他当时拿着歌德的诗篇，曼声吟诵，踱了几个来回，蓦地坐下便振笔疾书。不多一会，这首不朽之作便已留在谱纸上了。

这是 1815 年之事。这一年，仅仅是艺术歌曲他便作了一百四十四首。其中除了《魔王》，还包括《野玫瑰》等名作。有一部分是为同一歌词配上了几种不同的音乐。有一首竟有四种之多。

真是毫不夸大的音乐之流！而这股音乐之流，涓涓不息地一直流淌了十四年之久！

三十一年的坎坷一生，仅艺术歌曲一项就写下了六百首有奇。内中约两百首是同一诗篇的不同处理。歌德有一首诗，他前后为它谱过六次。如果是一个对艺术要求不高又缺乏毅力的人，是不可能如此认真从事的。这些一谱再谱之作，有的在细节上作了琢磨，有些则是完全另起炉灶。虽然后作的并不一定胜于前作。

一天写上六首七首甚至八首歌曲，在舒伯特并非不常有之事。在一个丰收年中，除了歌曲，还写了大量的器乐曲。其中有两部交响曲（一部在前一年动笔本年完稿），两首奏鸣曲，一部小四重奏与大量的舞曲。除此以外，还有歌剧四部，弥撒曲两部。我们还必须考虑到，舒伯特当时是在当小学教师。他得每天上课，改作业！

也就在前述的罗西尼风靡维也纳、贝多芬的音乐已不吃香之时，舒伯特去听了《唐克雷第》以后，随即写出两首拟罗西尼风格的序曲。他想用它来证明，罗西尼那一套花样经，并不稀奇。这两首序曲，当中确实用了不少"罗"式手法，包括"压路机似的渐强"在内。

有一则笑话：歌手沃格尔自作主张在舒伯特的一首歌曲稿中添了些花样，然后还给作者。舒伯特惊诧道："一首好歌！谁作的呢？"百余年来，人们一提起此事都感到可惊又可笑。多产的作者，思如泉涌，竟不认得自己的作品了。殊不知，这是好性子的舒伯特，对自己作品被人瞎改的一种温和的抗议！

才高命薄，这位伟大艺术家所遭的劫难真是令人浩叹！他于 1817 年写的《e 小调钢琴奏鸣曲》，直到死后才被发现。从 1848 到 1929 年这样漫长的时间里，零零落落地出版了其中几个乐章。全曲完整地同世人见面，是 20 世纪 1948 年才实现的。《C 大调交响曲》（别称"伟大"，以别于另一首在此以前作的《C 大调交响曲》），虽经舒曼救活，乐队却不想演奏，嫌它太长，而且末一章的弦乐太难。

舒伯特曾应其兄弟斐地南的请求，作《德意志安魂曲》。后者不客气地攘为己作。在兄弟俩来往信件中提到过这事。舒伯特宽宏大量，不以为意。外人也便不明真相。直至 1880 年，才由格罗夫工程师（他便是《格罗夫音乐与音乐家词典》这部权威著作第一版的主编人）考证出来。这才把舒伯特的著作权给恢复了。

有一次，友人举行婚礼。舒伯特在钢琴上即兴弹奏圆舞曲以助兴。他弹得兴起，不让别人接手，连挨近钢琴都不许。这些即兴之作，弹过也就算了。其中有一首，却深深印在新娘子的记忆之中。以后便在这家人当中世代相传。直到 1943 年，给垂暮之年的理查德·施特劳斯听到了，才将它记下来，整理为一首钢琴曲。

至于《未完成交响曲》《C 大调交响曲》这样伟大的作品如何几乎濒于湮灭，多亏舒曼等抢救下来等等人所共知的轶事，这里就不去重复了。

生年不永而作品宏富，这同莫扎特完全一样。1897 年前出版的舒伯特全集，实际上不全，但也有三十九册之多。新的，真正的全集是 1967 年才着手出版的。

有一件事值得提一下，经过当代学者研究，以前认为已经迷失的一部交响曲，其实就是《C 大调交响曲》(伟大)，因此，《未完成交响曲》改称第七 (以前编号为第八)。

舒曼

在艺术歌曲创作方面直接继承舒伯特衣钵的是舒曼。1840 年号称舒曼的"歌曲年"，因为他在这一年艺术歌曲写作大丰收。准此，1841 年可称为他的"交响曲年"。1842 年是"室内乐年"。1843 年则是"合唱曲年"。出现这种"单打一"似的情况，固然各有其机缘，也反映了舒曼喜欢在某一时期内集中创作某一样式的音乐。这同他自觉在某些方面功力还不够有把握，因而必须集中精神去研讨也有关。

当其兴会淋漓之时，舒曼写得很快。《春天交响曲》只用了四天便已草成。1842 年从 6 月 4 日到 22 日，一共写出了三部四重奏。《a 小调大提琴协奏曲》这部大提琴文献中的力作，动笔写于 10 月 10 日，16 日草成，到 24 日已完成了总谱。

直到狂疾大发作那悲惨的时刻，他还在作曲。发病之前十天，他的精神状态已不正常。自己说，有美妙不可言状的音乐在心里不绝地涌流。一天夜间，忽地起身，记下一段降 E 调的主题，据说是"天使唱给他听的"。他又给这主题写下了五种变体。发疯之晨，他就正在抄写这变奏，蓦然间奔了出去，自投于莱因桥之下了。

进了疯人院之后，在病情偶有缓解时，他还为帕格尼尼的第二十四首随想曲配伴奏（原作无伴奏）。

舒曼早年的志向是当个钢琴家，热衷于练琴。离开了钢琴他也便不能作曲。这种习惯他曾想摆脱，告诉过友人：要用头脑来创作，不能依赖钢琴。但是他终于未能做到。他那些单纯从头脑中构想出来的音乐总是比在键盘上寻觅到的要逊色些。

门德尔松

门德尔松与舒曼并称为浪漫派双璧。虽然够不上"伟大"，却也是早慧而多才多艺的罕见人物。

九岁他就登台演奏钢琴，后来以作曲享大名，同时也被列为当时最卓越的钢琴家之一。他又是管风琴家、小提琴家，也喜欢拉中提琴。在他作的那部八重奏演出时，时常充当第一中提琴手。作为一位重要的指挥家，他对交响音乐的普及与提高贡献很大。

这位全能的音乐家，不但能写诗，且又工于绘画，终身乐此不疲。

十一岁那年写的钢琴曲，手稿至今保存着。十二岁他就写起交响曲来了。

我们每听《仲夏夜之梦序曲》，那音乐风格的优美、洗练，总叫人难信是一个十七岁的青少年之作。但那种扑面而来的青春朝气又叫我们愿意相信这一点。事实上，门德尔松一生再没能写出一首具有同等魅力的作品。

这部不朽之作，一写出来，当即由他家拥有的一支管弦乐队作了试奏。而舒伯特，从来只有在头脑里去想象自己写的交响乐配器效果。

学习条件的优越，也是他的同行们望尘莫及的。有人曾造访年已三十的舒曼，正好碰上他们夫妇在开始用凯鲁比尼的教材补习对位法。

这位犹太人银行家之子，比莫扎特幸运百倍的神童，生命虽短促而留下大量作品，多种音乐体裁他都兼擅。不过，不少作品到底经不起时间的磨洗，露出了并不深刻的内涵。他的手稿是按写作先后抄在谱册上的，共有好几十本。今藏柏林图书馆。

像他这般聪明的人，作起曲来以挥洒自如见称是不奇怪的了。可是也有例外，比如流畅明快的《意大利交响曲》，写时却使作者大费脑筋。自云，那是所曾经历过的最不好受的一段时光。《d小调三重奏》已经付镌了，他还要改。由于乐谱用雕版，已刻好的只得废弃重来。这证明他是认真不苟的。

《e小调小提琴协奏曲》也极富青春魅力。有位评家不胜叹惜地表示，但愿重生一次，再享受一下第一次听它的新鲜感。那言外之意是它经不起多听。此作原稿，有人认为较定稿为胜。

柏辽兹

从前文几位大师的事迹来看，作曲好像离不开键盘。这恰好说明了键盘乐器的功劳。

柏辽兹是个例外。他是精通器乐法与配器法的大师。虽也曾业余地弄过长笛，更弹得一手好吉他，后来还能教人弹奏，可就是与钢琴无缘。成名之后，巴黎音乐院不肯聘他去教和声学，理由便是他不会弹钢琴。结果只能屈尊在学院中当个图书馆主任。

他认为，只有二流作曲家才靠钢琴作曲。为这事他倒感谢乃翁从来不准他学琴："有时也颇悔自己不懂弹琴。但一想到大批无聊之作，便觉得这件可怜的乐器不能辞其咎。此辈假如不会弹琴，只用纸、笔，原可不致于此，于是我又感谢使我不

得不在默然无声中作曲的命运。正是命运把我从此种虐政下救
了出来。靠钢琴作曲，实在是创造性的坟墓。"

这并不意味着柏辽兹对钢琴这乐器的无知。在他的名著
《配器法》中，就有专为钢琴写的一节。他写的管弦乐曲中也
把钢琴用上了。

但是，看他的作品总目，除了作为歌曲伴奏外，找不到一
首钢琴独奏曲、重奏曲或协奏曲。打一个比方，有点像我们在
李贺集中看不到一首唐人最爱写的七律。

像小提琴这样重要的乐器，他也不过为它写过一首曲子
（《沉思与随想》，是小协奏曲般的乐曲）。室内乐他也是不去染
指的。他仅有的键盘乐器独奏曲，竟是为簧风琴写的小品三
首。有意思的是，此一组作品，也是这位标题音乐大师唯一的
"无标题"音乐！

大概由于他擅长吉他，对这种乐器的表现力非常欣赏，有
人硬说他的和声手法同吉他音乐的特点有某种联系。有人说他
写出了旋律之后便拿起吉他来找和声。

这倒是事出有因而查无实据。听他的那些管弦乐名篇，我
们并不会联想到吉他。由于不弹钢琴，不能依赖键盘之助作
曲，在配器时反而可以避免了有意无意地将钢琴音乐的织体搬
进管弦乐曲。而这一点，正是某些作曲者所犯的毛病。

一而再地重复已经用过的乐想素材，成了柏辽兹的癖好。
这倒并非因为灵感的枯竭，而是他总觉得，那些乐想原先没有

得到充分发挥。

在其回忆录中说,《幻想交响曲》中《野外》那一章他花了三周时间才写出,《赴刑》则是一夜而成。

肖邦

从作曲家与钢琴的关系来说,肖邦岂非恰恰站在柏辽兹的对立面吗!

作为一个不靠老师传授,而自行掌握了钢琴艺术的神童,在键盘上即兴作曲也是早就开始了。

还在他首次登台演奏(八岁)之前,居然已经有作品出版了。其中有1817年(即他七岁之年)出版的《g小调波兰舞曲》。还有一首进行曲,那年还由康斯坦丁大公府军乐队演奏过。

自然,真正无愧于这位天才的"作品第一号",即《c小调回旋曲》,则是1825年出版的,作者那时也才十五。

"钢琴诗人"的写作生涯,在乔治·桑这位浪漫派女作家笔下被浪漫化了。她说什么,肖邦过于追求完美,总是改了又改,每写一页要耗上整整一星期时光。说什么肖邦苦思冥想,呕心沥血,有时苦恼于笔不从心,竟会撕扯自己的头发,哭了起来,甚至将手中鹅毛笔一折两段。然而虽然反复涂改,终于还是恢复原稿,云云。

其实从手稿上来核实,并不能证实她这些记述。

肖邦的确是在键盘上谱曲的。据同代人的回忆，当他即兴创作与演奏时，那种一气呵成的流畅，就如同音乐是"天成的"一样。可怪的是，一等到他追忆着将乐想落笔于谱纸上的时候，反而显得非常之吃力，而且涂改颇多。

这些已成之作，每经他本人演奏一次，就会出现一种有所改动的"新版本"。

当时他每成一曲，就由英、法、德三地同时出版。所以他得誊抄三份寄出。自从他最信赖的抄谱手丰塔那去了美利坚，肖邦的写作便受了影响。后期的产量少，原因之一便是嫌抄谱麻烦。

上述这几种情况合在一起，外加有人冒名作伪，于是他的作品就出现了种种有分歧的版本。有若干名篇，如《叙事曲》《船歌》《谐谑曲》，不是为了公开演奏，主要是为知己与自己的小圈子而作。当初在知音者中间弹奏时，也许不完全是我们今天看到的这种面目。翻开今天号称权威的波兰版肖邦全集，便可看到收集在一起的各种"异文"，犹如我们古诗词集中，有些诗篇的字句各本不同。

波兰版全集，由于它未能利用二次大战后西方掌握的文献资料进行对勘，人们感到仍有遗憾。

肖邦的钢琴演奏，论者认为品格在李斯特之上。但登台演奏非其所好。于是授琴以收取高额学费，便成了他主要的生活来源。有一些作品，是为那些并不打算搞音乐的小姐们写的。

也只有这样的人家,才付得起那样贵的学费。这类作品难度不大,然而可以让弹奏的人卖弄一下情调。

身心都弱不禁风的肖邦,要有个宁静的环境,不受俗务干扰,才能顺畅地写作。1848 年那个欧洲风云扰攘的年头,他从伦敦写给友人的信中说:纵然我室中有琴三架,没时间谱曲也是枉然!(并非他又那么阔气,是三家琴厂殷勤送上门暂时供大师使用的。)

李斯特

与肖邦并世齐名,同样与钢琴结下不解之缘的作曲家兼大演奏家,是李斯特。

肖邦忠于一己,只表现自我,而且连这也深自矜惜,不喜卖弄。相反,李斯特是极愿将自己的才气向广大听众宣示无遗的。

然而,李斯特并不自私,除了大量的创作乐曲之外,更喜欢搞改编,通过改编(主要是将他人作品改作钢琴曲)来介绍别的作曲者。这种创作与移植并重,是他可贵的特点。

在他一生总计约一千三百首作品之中,改编的占了九百。

他改编别人作品,既有忠于原作的,也有不拘泥原作而参以己意的。例如改编舒伯特作品,便加进些原作所无的东西。论者认为,圣 – 桑的《骷髅之舞》经过他一改编,某些方面还胜于原作。

自然，为了取得演奏效果，改编曲中有些是文胜于质的。但歌剧《阿伊达》的改编曲，被认为堪称一部杰构。这真好比是文学中某些高质量的译品了。通观整部音乐史，李斯特恐怕称得起是一位伟大的音乐"翻译家"！

钢琴之王不但在演奏时精力弥满，埋头作曲时也总是专心致志不肯罢手，往往还以白兰地加油。后来因他年事已高，他的女儿可西玛（先嫁比洛，后为瓦格纳夫人）不得不加以阻止。

瓦格纳

一位作家，当其创作一部重要作品时，总是喜欢不受影响地一气呵成。自有其特殊规律的作曲艺术，似乎更不宜于写写停停。

然而瓦格纳的作曲生涯却有他的古怪处。几部在内容、情趣上迥然不同的大型作品，他可以齐头并进，或参差重迭地构思。常常是，一部巨作尚在写作之中，忽然放下一边，又去忙另一部了。这简直可以说是"对位法"似的思维。

《尼伯龙根的指环》这部要连演四夜的超大乐剧，足足耗了瓦格纳四分之一世纪的光阴。在写作中，插进了好几部其他乐剧的写作。而那些，也全是他的力作，如《纽伦堡名歌手》与《特里斯坦与伊索尔德》。尤奇的是，这两部作品同《指环》的内容既不相干，风格也大不相同，而且这两部之间的差异也是极大的。《名歌手》中照耀着温暖的阳光,《特里斯坦》却是悲风鼓荡着的无边苦海!

这几部乐剧,每一部都是头绪纷繁,但又是结构严密、风格统一的。可见瓦格纳的创作精力何等旺盛了!

其中还有些细节饶有趣味。1854 年,即在写《特里斯坦与伊索尔德》的台本前三年,他在写给岳父李斯特的信中说:已在头脑中构思了一部《特里斯坦与伊索尔德》的音乐。两年之后,在同密友维根斯坦公主通信中又提到,自己在写《齐格弗里特》时,往往不知怎的,思绪就滑到《特里斯坦》中去了。但直到此时为止,这部乐剧仍然只有音乐而尚无剧词,云云。

这种先酝酿音乐然后才"填词"的歌剧写作过程,也是似无先例的。恐怕也正因为瓦格纳是一手包办剧本与音乐的创作的,才有此可能。一般歌剧(除了博伊托写的)都是剧作者于作曲家合作的产物。

他的代表作之一,《汤豪塞》,有几种不同版本。所谓"德累斯顿本"与"巴黎本",其中改动得相当多,因而始终像个未完本。瓦格纳去世前对可西玛说过,他还欠下世人一部改定的《汤豪塞》!

《指环》的第一部,《莱茵的黄金》,有一篇奇特的前奏曲。奇在从头到尾只用了一个主和弦。这篇音乐据说是1853年他在某种半醒半睡、精神恍惚的状态下构思而成。

勃拉姆斯

瓦格纳一派同勃拉姆斯一派是死对头。两派互相攻击。每一方的门徒，都奉自己崇拜的大师如神明，视另一方的大师如草芥，乃至打成魔鬼。这在近代乐史上是可怪可笑之事。其实勃拉姆斯自己的为人倒是严肃持重的。这也正是他对待创作的态度。不感到已有把握，绝不肯拿出去。他有一篇早期之作，《c小调谐谑曲》，没有编号。原因就是自己不满意，已经交给出版家，却又撤回了。

舒曼曾怂恿他将几部三重奏发表，他不肯。足足琢磨了二十年，才拿出第一部弦乐四重奏。至于交响曲的写作，更是慎之又慎。《第一交响曲》（崇拜者尊之为"第十"，意思是可以上承贝多芬"第九"的"道统"）早在1855年便已着手。第一乐章到1862年才完稿，然而自己不满意，暂且搁起。等到写了《海顿主题变奏曲》之后，自觉对乐队音乐写作已经有了把握，才又回过头来继续往下写，直到1876年才完稿。首演之后，又对第二、三两个乐章做了删改。十五年磨一剑！但这时节他已心中有数，立即就写作《第二交响曲》，只用了四个月。而《第三交响曲》的写作连四个月还不到。

德沃夏克

受到勃拉姆斯关怀启迪的德沃夏克，他的大量作品是雅俗共赏的。《自新大陆交响曲》等名作，哪怕是第一遍听，人们也绝不会漠然无动于衷。他的作品听上去都是如此流畅自如，很容易令人推想他也是舒伯特类型的作曲家，只要打开闸门，音乐便会滔滔地向外流泻了。这就估计错了。有保存下来的作曲札记本为证：德沃夏克谱曲是煞费经营的。在札记本上，何时开始构思，何时完稿，都注明了。从中可以看出他写作中的思路。

每当要写一部大型乐曲之前，他喜欢先搞一个概要的设计。我们受到强烈感染的那些主题，往往是经过他反复修改加工而成的。像《自新大陆交响曲》首章的第一主题（也是反复出现、贯串这部交响曲的所谓"格言式"主题），我们对它太熟悉了。在最早的一稿上，它却是另一种面目，显得颇为生硬。调性也不是后来用的 e 小调，而是 F 大调。最吸引人的那《广板》乐章，原先打算写成 C 大调，后来才改成降 D 大调，而这是比较不常用的调性。

又如，同《自新大陆交响曲》同负盛名的《G 大调交响曲》，末章的第一主题，当初的构思完全不同，而且一改再改，直到第七稿，才大体成为如今这形态。

鲍罗廷

很少有音乐家像鲍罗廷这样，毕生只留下二十一部作品而尽享大名的（后来苏联又发掘出二十部左右，但价值不及已行世之作）。何况鲍罗廷同以上所介绍的那些人有很大不同。须知《伊戈尔王子》《在中亚细亚草原上》……这些名作，是一个业余音乐家在他繁忙的本职工作（医生兼化学教授）之外，抽空赶出来的。

在一次友朋欢聚中，在座的鲍罗廷发病猝死，丢下了许多未完稿。有一些，虽然已经完成了钢琴谱，却没来得及配器。续成遗著的艰巨任务，便由里姆斯基 – 科萨科夫和格拉祖诺夫两人承担下来。

《伊戈尔王子》这部歌剧，是鲍罗廷最重要的代表作，竟也没完成，大部分没配器。后来它由上述的两人补写完毕。伤脑筋的是，此剧的序曲，连稿本也没留下。多亏了记忆力超人一等的格拉祖诺夫，他追忆作者生前在钢琴上弹奏此曲的印象，硬是把它追记了下来。

格拉祖诺夫，也便是十月革命后不久，英国文人威尔斯访苏时特地去拜访过的那位。当时威尔斯见到他身穿臃肿的皮大衣，在钢琴上弹他自己写的协奏曲。因为虽然是严寒天气，却没有燃料生火炉取暖！

布鲁克纳

如果是一个音乐爱好者，读到《第三帝国的兴亡》中如下这一细节时，不可能不感到恶心。

1945 年 5 月 1 日，希特勒已经死了六个多小时，戈培尔的尸体犹在焚烧。汉堡电台突然把正在播放的一首庄严的交响曲停下。一阵军鼓声后，广播了法西斯魔王毙命的消息。这之前播的，正是布鲁克纳的《第七交响曲》。

与此相似，斯大林格勒战役结束后，法西斯德国电台广播了有关的公报，然后立即播放了《命运交响曲》的慢乐章。

法西斯野兽们在"杀人工厂"（集中营）中进行惨无人道的大屠杀时竟用约翰·施特劳斯的轻音乐伴奏。

这岂不是对人类伟大文化遗产的莫大污辱！

布鲁克纳，人古怪，创作生涯也奇特。属于"后浪漫主义"的这位交响音乐大师，却是一个在乡村小学埋没多年的教员。

谈到 19 世纪后期的交响曲，就不能不谈这个人。他的交响曲长得出奇，重复甚多，不理解的人几乎难以卒听。这些作品在他生前演出与出版时，都在友好的忠告之下勉强作了好多删节与改动。有时他还央请自己的门徒帮他去修改某些部分，因为他耽心自己技术上有瑕疵。也有一些改动，是负责编订者自作主张改的。

这个土里土气的老实人，虽则很容易身不由己地任凭人家去肢解己作，但在内心深处，却又颇有自信。他暗自将原稿妥为保存。因此在他故后多年，崇拜者终乃据以恢复了本来面目。

到了三十岁，他才正式从师研习作曲法。舒伯特在这年纪，已经走到生命终端了。在此之前，他只不过零打碎敲地向一些乡村乐师讨教了些音乐理论知识。

但他并不笨。四岁便用小提琴拉赞美诗。十岁时，代替乃父，在小教堂中弹管风琴。

三十七岁那年，他申请参加维也纳音乐学院的学位考试。一位主考听了他在管风琴上的即兴演奏，感叹道：应该由他来考我们才是！

但是他的《第三交响曲》于1875年初演时，乐队本来就不情愿演奏，马虎了事。于是口哨声、猫叫声响成一片。最后，听众只剩下二十五个青年音乐者，其中便有另一位交响曲大师马勒，时年十五。他们向被喝了倒彩的作曲家鼓掌祝贺。

自从受到瓦格纳的夸奖，加上瓦氏一党别有用意的推崇，他的声誉当然也就提高了。

显然是过奖，瓦格纳说：当今之世比得上贝多芬的只有一人，那便是布鲁克纳。

前面提及的《第七交响曲》，有段哀歌式的尾声，就是表达他对瓦格纳的知遇之感的。

比才

音乐神童可谓多矣，但像《卡门》的创造者这样早慧而又有大成就的，仍然可以入无双谱。

从他开始学认字之时也就开始了识谱，那年小比才才四岁。未满十周岁，进了音乐学院。入学才六个月，便拿了视唱课的奖，因此又享受特殊优待，得以进名教授齐默曼的赋格与作曲班。这一班级，实际上是那位老教授的佳婿古诺在代课，老教授不过挂个名。然而有古诺这样的音乐家教课有什么不足呢！十二岁那年，比才开始了作曲。

他的钢琴弹得棒极了，达到了演奏家的高水平。视奏管弦乐总谱的能力尤其出众，简直可以在钢琴上提示出各种管弦乐器的不同音色。这本事，连李斯特、柏辽兹那样的大师也为之激赏。

有一次，比才视奏李斯特的一首钢琴曲，此曲极难，而况又是不甚清楚的手稿。一曲既终，在场的作者本人拊掌大赞，许之为欧洲最佳三琴手之一，而这所谓最佳的三人是包括钢琴大王自己在内的。

掌握了钢琴艺术，比才又进了管风琴班。在这两个班上他都连连得奖。

可惜，像他这样精通钢琴演奏的人，写的钢琴曲却并不高明。有的写得像乐队作品的改编曲，塞进了大量的双震音（钢琴上模拟乐队效果时往往用之）。说不定由于他过多地视奏乐队总谱，因此留下了后遗症吧？

如今我们爱听的《C大调第一交响曲》，是直到1935年才首次演奏的，却是一个十七岁少年之作，而那风格，那意匠经营，又何其成熟！这叫人想到门德尔松，《仲夏夜之梦序曲》不也是十七岁时写的吗！

写作《第一交响曲》时，古诺正安排他整理古诺自己的《D 大调交响曲》。青出于蓝，青年学生的天才之作，超越了自己的老师。当时，《浮士德》的作曲者声名显赫，然而今天又有多少人去听他那部交响曲呢？

圣 – 桑

在法国作曲家当中，就天资而言，竟有一位比比才还更胜一筹的，他就是《骷髅之舞》的作者圣 – 桑。请看他的音乐智力发展史：

两岁半，由一位母家的长辈教他弹琴。

三岁生日刚过，写出了第一首钢琴小曲。

七岁，开始从师学作曲。

十岁，这莫扎特型的神童开了个正式演奏会。节目包括了贝多芬的一部钢琴协奏曲。而当"再来一个！"时，小钢琴手可以背奏贝多芬三十二首钢琴奏鸣曲中随便哪一首！（也许没人要他弹那首最难的作品 106 吧？）

音乐"智商"如此之高，长大成人之后是一个多产作曲家便不足为奇了。他自称："我生活在音乐之中，如鱼得水！"还曾说过，他写起乐曲来如同一株苹果树开花结果一样自然。

据云他可以接连十二个小时，一边搞配器，一边轻松地同别人闲聊。

《动物狂欢节》是休假当中没花什么时间便搞出来的游

戏文章。自惜羽毛的圣－桑，不允许这部作品在他生前发表
（也许还有怕得罪人的考虑，因为曲中可以听到比才、柏辽
兹等前辈作品中的旋律，但已畸变，而且有所影射、嘲弄）。
但，其中的《天鹅》一首例外。

要是他能知道自己作品中流传最广的竟是这首《天鹅》的
话，说不定会悔其戏作的。

活了八十六岁，经历了两个世纪，乐风多变的两个世纪。
他难以跟上。罗曼·罗兰说他生前便成了经典。作于他去世那
年（1921年）的竖琴协奏曲，听起来叫人忘了已是20世纪。

雨果·沃尔夫

作曲方式之古怪甚至荒诞（但又并非不能解释的现象），
无过于雨果·沃尔夫了。

如果仿"睡眠疗法"之名，我们可以把沃尔夫的方法叫做
"睡眠作曲法"。

他总是首先极其周详地研读所要谱写的诗篇（选择甚严，
不像舒伯特有时采用平庸之作），沉浸其中，屏除其他一切思
虑，有时简直是"生活"在诗篇之中。如此直至在心目中形成
了完整的构思。于是，倒头便睡。一觉醒来，歌曲已成竹在
胸。只见他振笔疾书，手都追不上脑中的乐想。记下来之后，
连一个音符一个休止符也用不着再改动。音乐仿佛是自然而
然，水到渠成，他只不过是当了个中介物而已！

看来虽似奇谈，从心理学对睡眠与思维、记忆的关系的研究来说，也许是可以作出解释的。不妨联想那有名的塔尔蒂尼梦中谱写《魔鬼的颤音》一事，恐怕正是同一类的心理现象吧？

理查德·施特劳斯

又是一个音乐神童的履历！

四岁学钢琴，六岁学小提琴，十一岁学音乐理论。最早的作品作于六岁那一年。十三岁起就在乐队中拉小提琴。他老父在著名的乐队中当了四十九年的首席圆号手。他这个新手，一上来坐在小提琴组最后一席上拉琴，随即他的位置便不断地向前移动。

十六岁（1881年），他的三部作品在一个月中接连演出：弦乐四重奏、进行曲与一部交响曲。

再来看看他成名之后那股猛劲：

1894—1895年，作《蒂尔小丑》[1]。1895—1896年，作《超人于是言曰》（《查拉图斯特拉如是说》）。1896—1897年，作《唐吉诃德》。1897—1898年，作《英雄生涯》。这都是皇皇巨制，而竟连篇问世了！

与此同时，他还在忙别的事，挑起了乐队指挥的重担。

---

1 *Till Eulenspiegels lustige Streiche*，现在通常译为《蒂尔的恶作剧》。

从 1898 年起，他在柏林的八个月中指挥了二十五部歌剧的七十一场演出，内中包括了《尼伯龙根的指环》这样的重头乐剧，加上两部初次上演的作品。

当其声名极盛之时，他写的歌剧《莎乐美》一出，两年中，上演者有五十家歌剧院。《玫瑰骑士》在德累斯顿初演。铁路为此特别加开了从柏林到该市的班次。

固然是他天赋非凡，但能如此高产还因其写作很讲究效率。每作必有准备，按一定的程序进行。他是一个一天到晚不停地进行音乐思维的人，又是一个自诩为人间万象都可以用音乐来形象化的人。草稿册不离左右，随时随地都有灵感飞来。例如，《玫瑰骑士》中一个重要主题，竟是在玩纸牌中构思而成的（此公终身是个纸牌迷）。

他又爱把初步形成的乐想暂时搁置起来，让它在潜意识中听起像摘下的果子那样慢慢"后熟"。过了好久（甚至长达一年）再来加工。每加工一部作品，常常要反复四遍。最后一气呵成时，关在书房里一干便是十二个小时！

这位"三 S"（指西贝柳斯、斯克里亚宾同他。因为这三巨头的姓，第一个字母都是 S）之一，《英雄生涯》是他的音乐自传。但在 1947 年访英时，却又自谦道：第一流恐怕够不上，但在第二流中，我忝居前茅。

威尔第与里姆斯基－科萨科夫

得天独厚的作曲家诚然不少，大器晚成的也不是没有。在歌剧音乐方面与瓦格纳抗衡的威尔第便是一个。

十八岁报考米兰音乐学院，不取。主考人给他的评语并不是没有根据的：钢琴弹奏不正规，又不懂对位法，年纪也超龄了，且名额已满。

里姆斯基－科萨科夫同威尔第有相似之处。1871 年，他二十四岁时，圣彼得堡音乐学院聘他去教作曲与配器，兼任管弦乐班教授。然而在某些基础理论方面，他却惊人地无知。虽然凭着丰富的实际经验，他已经写出了大量作品，其中有《三支俄罗斯民歌主题序曲》与一部交响曲。

钢琴他也不行。在亲友聚会的家庭舞会上，他可以出点风头，赢得彩声，如有行家在场，他可从不敢卖弄。

他靠一本柴科夫斯基编写的教材自己啃和声学，也从贝多芬、凯鲁比尼写的作品和练习题集中补习对位法。

在他还无缘听到瓦格纳的代表作之前，《西班牙随想曲》《天方夜谭》组曲这几部杰作便已诞生了。那是瓦格纳的音乐风靡全欧的时节，很少有青年作曲者不受其影响的。而他这几部作品却不是这样。

后来，《尼伯龙根的指环》一剧在俄京开演，里姆斯基－科萨科夫特地带着门人格拉祖诺夫挟着总谱去听，悉心揣摩，一场排练也不肯放过。其虚心好学如此！

格什温

像里姆斯基－科萨科夫这种"非正途出身"的作曲家，还可以举格什温。这位美国才子是个彗星般的人物，不到四十岁就辞世了。

他并没受过什么正规训练。《蓝色狂想曲》当年令人耳目一新，他也就一举成名。可是这首管弦乐曲的配器，他是请人代配的。捉刀者是格罗菲，《大峡谷》组曲的作者。

如果在钢琴上弹他自己写的东西，或是即兴来一曲爵士风音乐，他很行；但是古典作品他就不敢碰了，因为缺乏基本功。他有自知之明。

《蓝色狂想曲》一开头那句单簧管滑奏，差不多成了他的注册商标。然而原本他是写的一段有十七个音符的上行乐句。第一次排练之前，乐队队员纷纷调音试音，单簧管手随口吹出了那句滑奏。作曲家一听，妙绝！他爱上了那新鲜效果，便采为己用。

论作曲技巧，他不算高明，放纵不羁的乐想却弥补了基本功的欠缺。有时技法之拙似乎倒成了他的独特风格。

他还曾向锡林格尔其人（本篇莫扎特条中提到）学了那种用数理作曲的技术，在名作《波吉与贝丝》那部黑人歌剧中有所运用。

戴留斯

在可以说是无师自通的作曲家中，又有身世奇特的戴留斯。

像他这样经历不平凡的音乐家并不多见。在音乐史中他算是英国作曲家。他写的东西，也的确是道地英国味。对于深陷于别国（主要是德、奥）音乐影响之中不能自拔、也似乎不想摆脱的英国音乐来说，戴留斯的出现弥可珍贵。有人说是连华兹华斯都没能像他那样，为英国的大自然传神写照哩！

然而滑稽的是，虽说生于英土，却是纯粹德国血统。年纪轻轻便跑到美国的佛罗里达（因之有了绝美的《佛罗里达组曲》之作），而此后又长滞巴黎的枫丹白露。无怪英国人自己都不大好意思算他是本国音乐家了！

说他无师自通，那根据是他只在音乐学院上过十八个月的课。可是还在十二三岁的少年时代，他已能拉起小提琴，同约阿希姆等一起，合奏室内乐了。

又是一位遭逢不幸的音乐家！青年时期，沾花问柳得了风流病，最后十年，导致双目失明，外加瘫痪。

不幸中又有幸事！虽然卧床不起，仍然乐想绵绵不绝。如何谱写下来呢？稍微了解音乐的人都知道，文字语言可以口授笔录，复杂的音乐可不好办！（韦伯病倒在英伦时，也曾以口授改写了早年之作，但那是一首进行曲。）然而竟有一个名叫芬必的青年崇拜者，甘当他的助手，守着病人，耐心地将他的灵感移写在谱纸上,从而从病魔爪下抢救出了一批作品。

斯美塔那

命途多舛的音乐家何其多！斯美塔那是贝多芬后又一个聋音乐家。比贝多芬幸运的是,耳疾大发作时他年已半百,比贝多芬变聋晚得多,那症状也不一样。以后面这一点来说,比贝多芬更苦。贝多芬接收不到外界的音响信息,但也屏除了干扰;斯梅塔那是一开始总感到有种刺耳之声在头脑里面叫,害得他无法作曲。弦乐四重奏《我的一生》末章中有一个持续不断的尖音,便是此种感觉的实录。

不久以后,半聋恶化成全聋。但他硬是挺住,坚持作曲。交响诗《我的祖国》这部名作,正是在这个时期完稿的（1872—1879 年）。

1881 年,他为自己的一部歌剧配器时,阵阵噪声袭扰他的头脑,日夜不休。据他自己描述,那就如同置身于大瀑布之下一般,喧嚣难耐。然后又添了其他症状。作起曲来,前面写后边忘,于是不得不停下来,再去反复审阅前面写的部分,弄得有时一天只能写上四小节。但到了 1883 年,他还是把《第一弦乐四重奏》写完了,还完成了《布拉格狂欢节》。接着又动手写以莎剧《第十二夜》为蓝本的一部歌剧。才写了一点点,就被送进了疯人院。

约翰·施特劳斯

小约翰·施特劳斯六岁年纪便写出一首三十六小节的圆舞曲（后来正式出版过），他当然也属于音乐天赋甚高的人物，一百六十八首圆舞曲（还不包括未出版的作品）的传世，完全可以为此作证。

然而同别的神童们际遇又不大一样，小神童并没受到家长的重视，培养他提高音乐才能。老约翰·施特劳斯硬是要儿子埋头学习，为日后进银行界下本钱。

如果考虑到老施特劳斯本人就是一位圆舞曲大师，这种做法就显得更不近情理了。结果是，直到乃翁抛妻弃子另筑香巢之前，小约翰只能偷偷地学作曲。

他有个小弟弟爱德华·施特劳斯，原来也被老子安排去吃外交饭，在小约翰的影响之下也专心搞起音乐来，被吸收进这家人自己组织的管弦乐队。"圆舞曲家族"于是又增加了一名成员。他写了那么多的圆舞曲，就其最精彩的那十来首而言，人们绝不会感到雷同与单调。然而你想不到，这位圆舞曲之王并不善于跳舞！萧伯纳有一篇尖刻的乐评，把安东·鲁宾斯坦写的《大洋交响曲》贬得不值一听，但却建议人们不妨听听圆舞曲之王的《北海风光圆舞曲》。

拉威尔

同以上谈到的这许多作曲家比较起来，气质颇不相似的是

《波莱罗舞曲》作者拉威尔。

这人的写作态度矜贵异常，不到最后一笔修饰完毕，他是秘不示人的。他喜欢离群索居，殚思极虑，尽其在我地酝酿着，让内在的灵感结晶、升华。他那些作品，往往在漫步林中（不管天气如何也不改变习惯）时形成。有时却又在巴黎夜游中构想。一有所得，立即将自己幽闭起来，把那些乐想移到谱纸之上。

一首乐曲的成型过程，在他也有奇特之处。据他自述，《第二小提琴奏鸣曲》正式动笔之前，曲式结构、织体、主题的特点等等都已成竹在胸了，奇怪的是并未形成旋律！

他像个艺术上的美食家。那种精雕细刻，在任何一个细节上都要细琢细磨的作风，是很突出的。他所下的功夫，在有些音乐家看来似乎过分了些。有人把他的风格特点比拟为"工笔肖像画"。

而斯特拉文斯基对他的形容更是有名：像个瑞士钟表匠！

普罗科菲耶夫

作品清新俊逸，乐风奇而不诡，堪称现代音乐一杰的普罗科菲耶夫，也应归在神童之列。

写第一首钢琴曲时，他五岁。

被格里埃尔收为门徒时，也才九岁。老师发现，自己的学生已经是多首钢琴小品和两部歌剧的作者！

进了圣彼得堡音乐学院之后，这个狂妄后生不但觉得里亚多夫的和声课乏味，连大名鼎鼎的配器泰斗，里姆斯基－科萨科夫的课，他也不感兴趣。

教授们对他也头痛。他的习作一交上去便吃了"费解""太摩登"等恶评。他成了个"问题儿童"。

他忽然发现，自己来演奏自己的古怪作品，是一条扬名捷径。于是又去专攻钢琴。上这门课，他同样又是不去理会导师的指教，任性而弹。弹起莫扎特和舒伯特来，都加进些他自己的东西。

正巧学院中有位摩登派，教指挥法的，尼·切列普宁（我们熟知的齐尔品，便是他的儿子，见本书钢琴篇）。对此人，普罗科菲耶夫倒愿意领教，因为借助他，自己可以接触与学院派不同的新派音乐。

他真是独往独来，全不顾别人的议论。《第一钢琴协奏曲》虽然也曾轰动一时，《第二钢琴协奏曲》的初演却又令人毛骨悚然。当时大多数评论者有个共同的遗憾是：竟难以找到什么更厉害的字眼来谴责这个妄人！

歌剧《赌徒》（据果戈里原作改编）的音乐是如此离经叛道，于是演员罢唱，乐队造反，指挥告退！

趣事还多着：他发明一种"快速配器法"。主要方法是在钢琴谱上再附加若干行，标上配器意图和各种符号乃至弓法等细节。然后交给助手去搞出完整的乐队总谱来。按此办理，哪怕在火车上他也能顺利地工作。

这不禁令人联想起后来的一件公案。肖斯塔科维奇死后公之于众的回忆录，对普罗科菲耶夫作了揭露：他不懂配器，全靠别人代庖。

从"快速配器法"看来，肖斯塔科维奇的揭发似乎可以说是事出有因了。

然而当我们听他的那些代表作时，只觉得那配器同整体风格是一致的。新鲜，明快，不落前人窠臼，而又并不故弄新奇。总之听起来不可能出自他人手笔。

十九世纪前的作曲家

最后让我们回到 19 世纪之前去，看看音乐史上一种可怪的情形。

19 世纪前的音乐家，似乎并不把作曲当回事。听众也是这种态度。当时，一部交响曲或奏鸣曲的问世，并不如后世那么引人注目。如果单个地出版这种乐曲，是不合时宜的。一般地都是成批出版。比如英国的大音乐家珀赛尔写了两集奏鸣曲，每集都有十到十二首。巴赫那许多组曲、奏鸣曲也是如此。

海顿被主人吩咐去伦敦作六部交响曲，接着，又要他作了六部。

与海顿同时的迪特斯多夫在《自述》中说：他（某贵人）

交代我写六部交响曲。说什么："如想多得点钱，就快给我写出来。"另外，还命他为自己的单簧管手写两部协奏曲。

史家们的看法是：事实上，其时的音乐家把作曲一事看作也是一种"手艺"，而并非什么有诗意的高雅之事。他们既然不得不在贵人家侍候，帮闲，那么奉命作曲是例行公事。即便是海顿这样的大音乐家也罢，他不大可能等着有了灵感或是冲动再动笔。作曲这件差事，也不过像一个贵族家里的面包匠被吩咐快去做一大个面包之类而已！

难怪海顿视作曲为苦役，每逢有这种差使，坐下写，灵感不来，他便做祈祷。前文提到一种传为他编的"作曲法"，用数学方法编组曲调，说不定也同此种强迫生产有关。

流动建筑工程师的血汗代价

莫扎特怕受出版商的剥削，一度用预约订购的办法在自己家里卖曲。1783 年 1 月他寄给老父的家信中报告：三首钢琴协奏曲只卖四个达克特（古币，约合今天的三百美元）。

贝多芬把三首早期之作（《第一交响曲》《第二钢琴协奏曲》《七重奏》）一揽子卖给出版商，到手七十达克特。后来他光是一部《第四交响曲》便卖了五百个弗洛令（约合 1949 年的二百多美元）。《英雄》《三重协奏曲》《橄榄山上的基督》，外加《钢琴奏鸣曲》三首，他也以一揽子议价方式出售，索价是《第四》的四倍。

莫扎特的天才心血终其一生无人识宝，因此有一些作品只因为没有主顾而未动笔，胎死腹中！

舒伯特的《流浪者之歌》，当初，出版商只付了两个古尔盾便买下了。然而在其后的四十年中，赚了二万七千。

德沃夏克的《斯拉夫舞曲》，写出第一集之后，卖了五百马克。过了八年，第二集出版，所得十倍于前，因为前一集大受欢迎，钢琴家和钢琴爱好者都喜欢这些钢琴二重奏曲，成了畅销之作。

同行与隔行之间

—— 闲话乐人的交往和爱好

如果了解一下大师巨匠们的交往，相互之间的喜恶褒贬，那么我们对音乐史的概念便可以立体化，听起名作来，可以有更丰富的联想。

在有些大师之间，本该有一定的联系，然而事实上却找不到，这往往另有原因，值得了解。例如人们从贝多芬拥有的乐谱资料中发现，他并没有多少巴赫和亨德尔的作品。对于巴赫的音乐，他只知道其中的一小部分。这不能怪贝多芬不好学，而是说明，在贝多芬的时代，老巴赫已经被人们遗忘了。即使像《十二平均律钢琴曲集》如此重要的经典之作，贝多芬也不过熟悉其中的几首。至于亨德尔的作品集，直到贝多芬晚年卧病在床期间才收到，那是从伦敦寄来的一份礼物。

乐人之间的互相崇拜

事实上，许多音乐家之间是互相崇拜的。关于舒伯特如何对贝多芬五体投地地崇拜，如何渴望一见而又不敢冒昧，贝多芬又如何赏识他的作品，等等，这方面的佳话之多，据说不难汇集成一本专书。可惜的是，这些佳话又大都真真假假，难以核实。

有那么一件事令人联想颇多。舒伯特写过一首钢琴二重奏的变奏曲，题献给贝多芬。贝多芬常常喜欢拿它来同别人四手联弹。

对于舒伯特的音乐，舒曼是一个不倦的鼓吹者。也正是他，人们才发现了舒伯特。

要不是他 1837 年亲自到舒伯特兄弟家去访求，在那儿发掘出成堆的遗稿，恐怕有些杰作就要从此迷失了。我们额手称庆之余又不禁想到至今杳无踪迹的《红楼梦》后几十回的稿本！

然而即使是知音如舒曼，他也只是倾心于舒伯特的歌曲，对此外的器乐作品则不甚措意。甚至如舒伯特最后三部奏鸣曲那样辉煌之作，他也没当回事。当然，后来他为《C 大调交响曲》的推广出了力，也功不可没。

离奇的是，这三部奏鸣曲竟是"奉献"给他的！老前辈的舒伯特怎么会去题赠给一个刚进大学年方十八的学生呢？原来，钢琴家胡梅尔才是那被题献者。舒伯特死后十年，这三部作品才有可能出版，其时胡梅尔已不在人世，出版家并未取得已长眠地下的作者同意，竟把它改题了舒曼的名字！

这个做法，舒伯特在地下估计也不见得会反对。因为当舒伯特的死讯传到舒曼耳中时，有人听到，这个大学生呜咽之声彻夜不绝。

后来舒曼自云，青年时期他最热衷的便是舒伯特的音乐，对贝多芬也是一样，对巴赫的爱好便差些了。

舒曼当年还鼓勇写了一封给舒伯特的信。然而又终于并未付邮。否则这两位歌曲大师可能早就结识了也未可知。

对帕格尼尼的演奏，舒曼也迷得了不得，虽说对帕格尼尼的艺术思想他是抱怀疑态度的。

至于他同青年勃拉姆斯的真挚友情，更是人所共知的乐坛佳话。只消提示一个镜头就够了：当他死于疯人院时，最后时刻守在他身边的，便有勃拉姆斯。

舒曼、勃拉姆斯和舒曼的门人迪特里赫三人曾经合作了一部小提琴奏鸣曲。完稿之后便交给小提琴家约阿希姆同舒曼夫人克拉拉视奏。后来又经过舒曼改写，便成了他的《第三小提琴奏鸣曲》。

肖邦落落寡合　李斯特交游广阔

不大和同行交往的音乐家也有，这便是肖邦。

1827年，贝多芬这颗巨星殒落之年，肖邦尚未离开波兰，写成了作品第四号《第一钢琴奏鸣曲》。从风格上看，一点也不像他后来之作。显然，他还刚迈开步子，受陈规旧套的影响是免不了的。

在舒伯特、舒曼和李斯特等一大帮音乐家被帕格尼尼迷住了的时候，肖邦也听到了那位怪杰的演奏。

1828 年，也即舒伯特去世那年，肖邦游学柏林，见到门德尔松，却又怯于攀交。两人正式相识是后来的事了。对门德尔松，肖邦敬其为人而不喜其作品，反应冷淡。反过来呢，门德尔松也感到肖邦的作品难以理解。他有过这样的看法：有时很难说他的音乐是对还是错。

舒曼写评论，要大家向肖邦的天才脱帽致敬，这是人所共知的。除了那篇名文之外，他还怂恿自己的妻子克拉拉演奏肖邦的作品。肖邦在莱比锡听了她的演奏，印象颇深，然而这匹千里马对自己的伯乐并不怎么感兴趣。当他自觉欠了舒曼的情，应该题赠一首叙事曲的时候，不想显得过于亲密，将"我友舒曼"改成了"舒曼先生"。

舒曼对肖邦的作品，也并非只说好话，对于《葬礼进行曲》，他便有些看法。

同柏辽兹的关系也与此相似。柏辽兹虽不会弹钢琴，对肖邦的作品总是抱着友好的态度。但有点怕去指挥肖邦的作品（盖指钢琴协奏曲，因为肖邦没写过什么乐队作品）。说肖邦"在节奏上自由得过了分，他受不了严格的节拍"。

肖邦对柏辽兹的音乐更难容忍。他曾告诉别人："写得出那种音乐的人，同他绝交也没错！"

他既然对钢琴艺术爱之如性命，照理应该同李斯特有共同语言，可是两人之间的关系从一度的亲热降到了"相敬如宾"。

其实，几乎没有哪一个同时代人是他佩服的。

前一代的，他崇拜莫扎特。再古些的，是巴赫。至于贝多芬，他自认"理解不了"！

同肖邦相反，李斯特交游之广，像是 19 世纪音乐活动中的"甘草"。肖邦同他的关系由亲密而冷淡，据云是因为肖邦看不惯他同一班贵胄们要好。门德尔松对他也不怎么满意，那却是由于李斯特演奏经典作品往往擅加改动。

1840 年绘成的一幅油画上，可以看到李斯特在沙龙里弹奏。围着他倾听，或坐或倚的有罗西尼、帕格尼尼等人。

从李斯特改编的大量作品中，也不难联想到他和同时代人的关系。

柏辽兹是他提倡标题音乐的同道。《幻想交响曲》初演于 1830 年时，在场的便有他。他不但将这部交响曲改编成钢琴曲，还用其中的"固定主题"写过一首可爱的小品。为了推广柏辽兹的作品，他在魏玛举办了"柏辽兹音乐周"。

瓦格纳同李斯特之间的关系可就更深了。一直到瓦格纳死后，李斯特还继续为瓦格纳的乐剧改编钢琴曲；虽然其间由于他的私生女可西玛同瓦格纳私通，曾经一度引起不和。马克思在一篇文章里，对这一家子的纠葛也曾捎带过一笔，措词相当辛辣。

柴科夫斯基的歌剧《奥涅金》中有一段波兰舞曲，李斯特也拿了改编为钢琴曲。

当年乐坛上好多后起之秀，都见过这位乐于奖掖后辈的长者。这份名单上有格里格，有鲍罗廷，有圣－桑、福雷等等，还有堪称李斯特第二的安东·鲁宾斯坦。更晚一些的印象派开山祖师德彪西，也曾于 1885 年在罗马与李斯特相见。老前辈还奉劝那位小青年，去听教堂里咏唱的帕莱斯特里那以及拉索的复调音乐哩。

然而李斯特并非没有对头。小提琴大师约阿希姆曾到魏玛，在李斯特领导的乐队中担任首席小提琴。两年之后便不干了，原因是他不欣赏李斯特一派的"新派音乐"。后来还发生了更激烈的交锋。1860 年，柏林《回声报》上刊出了一篇联合声明，签名的是勃拉姆斯和约阿希姆等人，他们公开打出了反对以李斯特为盟主的所谓"新德意志乐派"的旗帜。

勃拉姆斯的友与敌

勃拉姆斯在尚未成名之时，也去拜见过李斯特，受到友好的款待。但是他当时便敏感到，自己的理想同对方是格格不入的。

至于勃拉姆斯同瓦格纳这两巨头两大派之间的水火不相容，更是乐史上突出的话题。但是 1862 年两人初次识面时，瓦格纳不但知道对方的作品，其中有一些还受到他赏识。七年过去，1869 年瓦格纳撰文狠狠抨击勃拉姆斯，从此二人之间便横亘着一堵拆不掉的垣墙。1879 年，布列斯劳大学授勃拉姆斯以荣誉证书，尊他为当代严肃音乐的宗师。这一下又招来了瓦格纳的讥评。勃拉姆斯算是善于克制，不予理会。

霸气十足的瓦格纳，即使在赞扬贝里尼写的曲调如何美妙时，也不肯放过机会，给论敌一箭："那是勃拉姆斯一帮搞不出来的！"

瓦格纳既不满意舒曼，更不喜欢门德尔松，而这两位对他的音乐也没好感。

勃拉姆斯同柴科夫斯基也不相投。这两位的乐风，的确是大异其趣。

柴科夫斯基在访德之行中，听了勃拉姆斯的代表作《第一交响曲》，不喜欢。为了听柴科夫斯基的《第五交响曲》，勃拉姆斯特地在某地多逗留了一天。他对这部作品倒还表示赞许，只有尾声除外。

对于舒曼，勃拉姆斯视为恩师，铭感终生。而他同德沃夏克之间的师友情谊也成了美谈。《自新大陆交响曲》出版过程中，审阅总谱校样的，不是远在纽约的作者，而是在德国的勃拉姆斯。虽然是出于出版家的请托，但年高望重的老前辈，慨然承担起这种麻烦琐碎的工作，足证两人之间的交情之深了。

大师之间的互相褒贬

听听大师对大师的褒贬是颇有意思的。

《卡门》的作者心仪莫扎特，尊贝多芬的《第九交响曲》为"艺术的顶峰"，然而他接受不了海顿的音乐。

对于威尔第，比才感到难以评价。他佩服《茶花女》作者的才气，却讨厌其音乐的风格。只是到了《阿伊达》问世，他才表示惊服。

超人哲学家尼采，把比才看成瓦格纳的对立面。那么比才对瓦格纳的看法如何呢？

比才虽厌恶瓦格纳之为人，也不欣赏"未来音乐"的主张，但当他在普法战争中困处巴黎围城之际，仍然在一封信里劝岳母别把瓦格纳的音乐与政治混为一谈："'未来音乐'是无聊的话，但瓦氏的音乐是属于所有时代的。"其时比才隶属于国民卫队，为第二帝国的垮台高兴，却又拒绝谱制《马赛曲》类型的群众革命歌曲。

柏辽兹赏识比才，比才也甘愿充当他前辈的卫士。为了维护《特洛亚人》的声誉，比才差一点要同人决斗。

当《卡门》已在排练之时，它的作者还化了名去听普朗克的管风琴课。也就在这个班上，他同丹第成了朋友。不要忘记，比才是未满十周岁便入了巴黎音乐学院的。

圣－桑被柏辽兹夸为"无所不知，缺少的不过是实际经验"，他那灿烂才华，赢得了好多前辈的鼓励。李斯特听了他在管风琴上的即兴演奏，竟赞他是"世界上最伟大的管风琴家"。这恐怕是言过其实，却也既说明了钢琴大王的热情洋溢，也说明了青年圣－桑的技艺不凡。

对于新人、新作，圣－桑原也很热心赞助的。他不顾学院派所持的否定态度，坚持要让舒曼的作品得到演奏。在法国最先替《汤豪塞》《罗恩格林》讲好话的，他是其中的一个。

穆索尔斯基的《鲍里斯·戈多诺夫》的总谱，是他最先从俄国带回法国的。纵然他把穆索尔斯基看成神经病，此举却违反了他的本意，把一种崭新的影响引进了法国音乐。后来的印象派即反映出这影响。

可惜的是，到后来，他跟不上时代了。

斯特拉文斯基的《春之祭》初演之时，圣－桑当场勃然而起，拂袖而去。

对同国人德彪西的作品，他反感之极。像《牧神午后前奏曲》这样一首奠定印象派地位的杰作，他也不欣赏。说什么：听是好听的，但它不是真正意义上的音乐。如果它也可以算音乐，那就如同调色板也可以说是一幅画了。后来见了《白与黑》等作品，他更是忍不住写信给福雷，大骂不休，认为像德彪西这种人，任何一个机构都应将其摈诸门外。

《春之祭》遭到圣－桑的抵制，也许是无怪其然的。德彪西的反应就正好相反。他赞此曲"如同一个美丽的恶梦"。这两位新派大师，是《火鸟》首演之日在后台初次见面的。此后，两人便时相过从。看了《彼得鲁什卡》的总谱，德彪西认为，论配器上的技巧，只有瓦格纳的《帕西法尔》可比。

德彪西算是前辈，但他向斯特拉文斯基请教过自己写的《游戏》中的配器问题。

更有意思的是，他们还同台合奏过《春之祭》，是改编的钢琴二重奏。德彪西临场视奏低音部分。如此古怪别扭的乐曲，他视奏起来也并不显得困难。

自从《春之祭》问世，德彪西对其创造者也产生了某种疑虑——简直是恐惧感。从一封致友人书中透露："他像个宠坏了的孩子，动不动就会在他的创作中搞出些不文明的动作！"

与德彪西并称印象派大师的拉威尔，写了一首钢琴二重奏《哈巴涅拉》。德彪西借看了这谱子。事过五年，德彪西作钢琴曲《格拉那达之夜》。两作颇有近似之处，竟引起某些人疑为"剽窃"。于是成了二人交恶的原因之一。不过，拉威尔对他的先行者始终敬重，尊之如师。

抗衡与交恶

音乐家之间既有同行相轻，自然也有同行相护。上面已经谈过一些，这里再补充几点。

瓦格纳的对立面不但有勃拉姆斯，还有威尔第这个劲敌。

当时能够同瓦格纳的乐剧抗衡的，主要是威尔第所作的那些歌剧。在歌剧音乐的创作上，他们是分道扬镳的两巨头，1871年，威尔第特意去听了《罗恩格林》。事后，人家问他有何观感。他老实承认，自己打了瞌睡。但"那些德国观众也同我一模一样"！

如果他去观看更能代表瓦格纳乐风的那些后期作品，如《尼伯龙根的指环》的话，也许不止于打瞌睡，而是像托尔斯泰那样，不终场而去吧！

有趣的是，尼采在此剧首演时也是只看了两幕，便逃到野外林中去了，虽然当时他尚未与瓦氏决裂。

瓦格纳自有其迷人之处，有那么一大帮信徒追随他是不奇怪的。雨果·沃尔夫即其中一分子。这位有狂疾的艺术歌曲大师前后拜访过瓦格纳同勃拉姆斯这一对冤家，反应大不相同。

他造访瓦格纳，是在 1875 年。当时带去了自己写的拟莫扎特风格的钢琴曲稿。大师的温言鼓励，使他对自己心中的偶像愈加崇仰。

1879 年，他又访勃拉姆斯。虽然受到了友好的款待，而且提出的意见也同前一位大师相仿——要青年音乐家多多开阔自己的眼界；然而，在沃尔夫已有成见的耳中，它却成了唐突之言。尤其不入耳的是，勃拉姆斯竟提醒他要好好学学对位法。

十一年后，沃尔夫已是声誉鹊起。此时有人心怀不平地告诉勃拉姆斯：瓦格纳之徒把沃尔夫捧上了天！说什么此人发明了"交响化的歌曲"，相形之下，舒伯特、舒曼和阁下的歌曲，倒像是用吉他伴奏的了。

也许是门户之见太深，沃尔夫对勃拉姆斯的《第一钢琴协奏曲》发表了讥评：从这部作品中刮将出来的一股风是如此之冷冰冰，简直要叫你心房冻结，气息难舒。你听了会感冒！

后浪漫派交响音乐大师马勒，是沃尔夫的知友。然而沃尔夫最后的狂疾大发作，也同他有牵连。

当时，沃尔夫突如其来地向众人宣布：本人已被任为维也纳市歌剧院指导。今后，该院将只演出本人的作品。

这一番大发狂言的近因显然与马勒有关。因为，马勒正是新任职的歌剧院指导。他曾特地来看望沃尔夫，面允将竭尽所能地上演沃尔夫的作品，只是暂时尚难兑现。

随后，沃尔夫竟广召友朋集会，在钢琴上大弹己作，同时宣布：将马勒撤职，自己上任。

这位不幸的天才终于步舒曼的后尘而入疯人院。

莱翁卡瓦洛与普契尼竞争的故事也饶有趣味。莱翁卡瓦洛，终其身仅有一部歌剧成为保留节目，这就是《丑角》。他并非江郎才尽，其实是无处发挥。原先，歌剧院老板只把他当一个剧本作家来使唤，交代他去替普契尼写《曼农·列式戈》的脚本。

1893 年 2 月，米兰的两家报纸上，同时报道了他和普契尼两人都要写《波希米亚人》这一剧。三年之后，后一位的大作先上演了。这便是如今歌剧爱好者无有不知的那部杰作。莱翁卡瓦洛写的另一部，次年也在威尼斯上演。

这两部作品比较起来，风格当然不一样。普契尼之作是热情与幽默相结合，另一部则以激情胜，狂纵到了狂暴的地步。莱翁卡瓦洛所作中颇有不少动人之处，但就整体的完整性而论，逊于普契尼那部传世之作。

应该说，在艺术家之间进行这种竞争，对于艺林是有益无损的。

隔行不隔山

大音乐家同行之间的交往是令人感兴趣的。那么"隔行之间"呢？人们可能有一种误解或错觉，认为音乐家只懂他那一行，也只关心那一行。

这可是天大的误会！如果多了解一些大师们同其他各行各界人士的交游，以及他们自己的业余爱好，便会恍然于并非"隔行如隔山"。这一来，在听赏名作时也许可以增强"通感"（Synaesthesia，钱钟书先生曾论及）吧？

多才多艺的音乐家之中，首先可以举韦伯为例。

他写了那么多音乐作品，同时又是笔头子锋利的音乐批评家。他主张，乐评应由乐人来写，为此还串联迈伊亚贝尔等，秘密成立了组织。

韦伯还喜欢写诗，不但如此，还留下一部可惜未完稿的浪漫派小说。也就是在这部小说中，有对贝多芬交响曲的漫画式评论。因此他一直被人误解，说他"攻击"贝多芬。至于流传的那句话："贝多芬够资格进疯人院了"，实际上也是无根之谈。

他还有过编纂一部音乐词典的打算。

韦伯之外，门德尔松也可一提。

门德尔松孩提之时便已出入老歌德之门，深受那位博学巨人的钟爱与熏陶。

反过来，如不是这位内行的神童有心主动介绍，那么有成见的歌德，也不大可能在暮年接触某些好的音乐作品，包括《命运交响曲》在内。

到了青年时代，黑格尔、洪堡等大学者，又成了门德尔松家沙龙中的常客。门德尔松还专门去听过黑格尔在大学里的讲课。

肖邦对钢琴音乐情有独钟，除了钢琴曲，什么也不写。然而他绝不是一个只爱自己本行的人。

在音乐界，他落落寡合。但同他交往的文艺界人士，却有海涅、巴尔扎克、显克维支、缪塞这些诗人、小说家和德拉克洛亚这样的画家。最后这一位，1838 年为他作过一幅肖像。

他是置身于浪漫主义运动中心的人物，虽然他对某些人的主张不表赞同。

肖邦放弃音乐会演奏活动而专心谱曲。对这，海涅在1840 年特地为文致贺。他认为，肖邦能超脱于一伙哗众取宠令人齿冷的演奏家之上，是大好事！

肖邦还能作漫画。因此，他也善于模仿别人的动作姿态以取乐。

音乐家与非音乐家

图画与音乐有相通之处。因此，画家多有热衷于音乐的。首先应当一提安格尔画的那几幅音乐家素描。帕格尼尼那一幅是最常见的。安格尔还画过柏辽兹。

安格尔在美术方面是个古典主义者，所画的偏偏是浪漫派乐人。他这人是很爱好音乐的，而且内行，从十四岁起在乐队中拉过两年第二小提琴，最喜欢的作曲家是海顿、莫扎特与贝多芬。他将莫扎特比作音乐中的拉斐尔。两人在他心目中都是神圣。

浪漫派画家德拉克洛亚，最欣赏的也是古典派的莫扎特。在德拉克洛亚日记中，除了鲁本斯这名字，出现最多的便是莫扎特了。在当代音乐中，他比较喜欢的是罗西尼与肖邦。虽然也给柏辽兹画过像，却又并不赞成他的音乐，说那是可怕的吵闹声，是大杂烩。

印象派画人德加从小练过小提琴。他是肖邦为数不多的好友之一，肖邦常跟他谈乐。这在肖邦也是难得的。不过，肖邦并不喜他的画。雷诺阿爱音乐，会弹琴。他的那幅《二美弹琴》是颇能传神的。

文学家与音乐的关系，人们经常提到托尔斯泰听了柴科夫斯基的《如歌的行板》怆然涕下。其实，包含此一乐章的那部弦乐四重奏初演于一次柴科夫斯基作品专场音乐会时，座中有屠格涅夫在。而托翁听到此曲是后来的事了。

托尔斯泰虽说并没有认真学过音乐，却也是个不错的业余钢琴手。19世纪70年代，他经常弹奏，有时直到深夜，还常同他夫人弹四手联弹。小说《克莱采奏鸣曲》中人物的原型是一位小提琴家，此人来访时，托尔斯泰常为之伴奏。但是托翁对音乐艺术的态度有时又偏执得古怪。在其名著《艺术论》中，把古典音乐的价值贬得很低。谈到《尼伯龙根的指环》，更是说得一文不值。这部四联乐剧他只看了第三部，开演后才入场。看到齐格弗里特挥剑斩龙一场，他再也受不了，不终场而去。

不过在他写的小说、日记中，反映的观点又不尽相同。

暮年听《热情》，情不自禁，哭了。而原先对贝多芬，他是有偏见的。

托翁对艺术歌曲是不以为然的。他反对这种硬将诗歌与音乐两种不同的艺术合而为一的做法。他也讨厌歌剧，只有《唐璜》《自由射手》除外。如果我们想到，后来出了不少歌剧，是以托翁写的那些小说为蓝本的，如《战争与和平》《安娜·卡列尼娜》等，倒不免有点滑稽之感了！

至于屠格涅夫这位"西欧派"，不但是西班牙次女高音歌唱家维阿多夫人的密友，而且通过她一家子，和当时欧洲几乎所有的大音乐家相识。

屠格涅夫自己也写过小歌剧脚本。有一部，由维阿多夫人作了曲，曾上演过。据估计，为之配器者很可能是李斯特。《父与子》中两处写到弹钢琴。

对于沟通西欧与俄罗斯音乐界之间的联系，他是作了贡献的。古诺的《浮士德》，经过他的介绍而与俄国观众见面。俄国音乐也通过他与维阿多夫人而引起西欧人士的注意。

他对柴科夫斯基很是钦仰。他赞助俄国乐人出国游学。在他同维阿多夫人的书信往还中，可以发现不少有关当时音乐文化交流的信息。

我们听了马勒的交响音乐，总会感受到那里面浸透了一种厌世情绪，似乎除了悲歌、浩叹、甚至号泣，便是强颜欢笑。在《大地之歌》中，我们旷达的李太白，似乎也变成了他们的叔本华！这当然是那个世纪末的时代使然，同时也反照出个人的失意与不幸。人们可能想不到，由于为个人生活中的苦恼所折磨，他曾去求教于当时声名狼藉的他的同胞弗洛伊德。据说，那位心理学专家发现，马勒对于精神分析学的原理，领会起来非常迅速，不禁为之失惊。

《人间喜剧》中提到音乐家的地方很不少，从巴赫到罗西尼，也插进了许多对音乐的见解。虽然在自序中巴尔扎克自认不是内行，其实音乐对其文学创作的重要影响是人们想不到的，他是从音乐中逐步找到文学创作道路的。他同柏辽兹、李斯特、罗西尼都有交情。1834 年他便听到了《命运交响曲》，离开贝多芬去世不过七年。他对贝多芬的作品始而冷淡，然后发现其伟大。李斯特曾当面告诉他，我需要你这样的听众，哪怕只你一个也行！

张冠李戴和未可尽信

—— 闲话某些乐曲的作者和曲题

一连串的疑案

被人们有意无意弄错了作者的乐曲，为数不少。

有若干归在巴赫名下的声乐作品，并不是他写的。有的已澄清，有的尚存疑。他的许多儿子们的作品也是真伪相杂。例如有一首《d小调管风琴协奏曲》，原认为作者是他的一个儿子威·弗·巴赫所作。实际上是老巴赫用维瓦尔第的一首提琴协奏曲改写的。

据查，有三十八部交响曲曾被误植上了海顿的名字。另有三十六部也是可怀疑的。

《玩具交响曲》这部纯真可喜的小交响曲，其实是莫扎特的父亲写的，原作比较长，这只是其中的一部分。

海顿有一部大提琴协奏曲，一度被疑为他人之作，1954

年忽然发现了此曲的手稿，确实是他的笔迹，这个疑案便解决了。

莫扎特的作品，前后经过克舍尔和阿·爱因斯坦等权威的考订、编纂，发现过去传为他写的一些乐曲，也有不少疑问。这些作品虽仍收入全集，但有三十四部弥撒曲和其他作品都打上了问号。

独唱歌曲《摇篮曲》，人们爱唱，也已被收入了各种歌集。其实它的真正的作者是一个名叫本哈德·弗赖斯的人。他比莫扎特要年轻十几岁。

1934 年，忽然"发掘"出一部《阿德莱德》小提琴协奏曲。据称是十岁的莫扎特作于凡尔赛宫的。阿德莱德是路易十五的长公主，此曲是写给她去拉的。原稿上有题献的字样。出版者便取以为标题。这份原稿只在两行谱表上写下了独奏声部与低音部分。经过阿尔弗雷德·爱因斯坦等学者的研究、鉴别，人们已经很难再相信这是一件真品了。不过，欣德米特却为它写了三段华彩。

谁不知《安魂曲》是莫扎特的绝笔。如果相信那传说的话，送了他的命的也是这部作品。他并未能完成它，是由另一位音乐家苏斯迈尔接手续成。全曲中有些部分是此人补写或配器的，甚至可能是他自己创作的。另外有些部分，是他据死者的草稿加工的。这样一来，如此重要的一部作品，其中某些部分的真伪之辨就成了研究者的话题。

冒牌的贝多芬作品

一度广为流传的《圣杰罗姆之梦》这首钢琴小曲，当时它被认为是贝多芬的作品。如果有谁到英国的穷乡僻壤访问某位老贵族夫人，在客厅里古老的钢琴上，说不定还放着这份曲谱。

在这件冒牌货的后面有段小故事，还涉及到两位文学家。

一位是诗人汤姆斯·摩尔。《夏日最后的玫瑰》等不朽民歌的歌词便是他"填"的。当年朗曼书店曾付他一首歌词以三千镑的重酬。

这位诗人用《圣杰罗姆之梦》为题，写了一首诗，配上了贝多芬的《第二交响曲》慢乐章第一主题的曲调，一起出版了。

四十年后，《名利场》作者萨克雷在《康希尔》杂志上发表《菲利普奇遇记》。其中有这么一段："夏洛特小姐坐下来弹了一曲贝多芬的《圣杰罗姆之梦》……此曲一直使我感到陶醉与安慰……"云云。

这一下，乐谱店其门如市，小说迷与音乐迷纷纷上门，打听要买这首"名曲"。有个出版商灵机一动，赶紧把助手勃林列·理查找来，要他满足这一需求。

说到勃·理查，此人乃是19世纪六七十年代一个专门供应沙龙钢琴小曲的小音乐家。他作的《黄昏鸟语》，至今还可以在《世界钢琴名作选》（1918年纽约初版）之类通行的曲集中翻到。

话说理查听到吩咐，当即应命，很快就炮制出两个乐章。《深情的行板》这一章，曲调借用了贝多芬的一首歌（作品48第3号）。小快板那一章则以一首威尔士民歌为素材。从此，这首"贝多芬的大作"一直风行于世，历久不衰。

还有一些历来算作贝多芬写的作品，有的是伪作，有的可疑。如《D大调单乐章钢琴协奏曲》（又名《音乐会曲》）、《降b小调葬礼进行曲》等等。

题为《告别钢琴》的作品，一度也是人们爱弹的，但决非他所作。

传为贝多芬所作的《耶拿交响曲》，不大可能是真的。

误认和伪作

通行的小提琴小品集中，可以见到一首《蜂》。过去好多人误以为是歌曲之王舒伯特的大作。这倒成全了真正的作者，让这位本来区区不足道的小音乐师的大名也上了音乐史。此人也叫弗朗兹·舒伯特，比"歌曲之王"小十来岁，是个小提琴手。

《未完成交响曲》之未完成，实在令人遗憾。于是有的人便徒然地去续貂。更可叹惜的是，另外还有一部《加士特恩交响曲》，索性全部迷失无存。到了舒伯特百年祭那年，歌林唱片公司曾悬赏征求遗稿而不得。也有人估计，钢琴曲《宏大的二重奏》，其实是这部交响曲的改编本。

被误认为舒伯特之作的还有一首叫《再见》的歌曲，一部有吉他加入的弦乐四重奏。

也被收进《钢琴名作选》之类曲集中的《韦伯绝笔》，这一首小曲是别人的作品。当初韦伯客死伦敦，从他的遗物中发现了此曲抄本，人们便当成他的了。后来有一个叫辟克昔士的人，据以铺衍为一首幻想曲，无巧不巧寄给了原作者雷昔格去请求指正，真相才暴露出来。

老一辈吹口琴的人，无不知有《双鹰进行曲》。这本来是一首流行的军乐曲，作者也姓瓦格纳，往往被误认为那位乐剧大师之作。此人全名是约瑟夫·弗朗兹·瓦格纳，是奥地利作曲家。（石人望改编的口琴曲集中，所注作者姓名是正确的。）

另有一首《尼伯龙根进行曲》。在许多音乐会节目单与唱片上，公然署上了理查德·瓦格纳的大名。实际上，其中只有一丁点儿瓦格纳，即《齐格弗里特》中两段不长的曲调而已。

外国电影《失去的地平线》（《桃源艳迹》）中，那个一离开了香格里拉（影射西藏），少女容颜立时成了鸡皮鹤发的女子，会弹一些肖邦的失传之作，都是外界人闻所未闻的。这当然是外国鸳蝴派的噱头，然而也确有伪托肖邦的作品。有一种版本的肖邦曲集中，收入了一首赋格曲。经过查证，谁知却是那位同拿破仑、柏辽兹都打过交道的凯鲁比尼的手笔。

还有一首名为《罗西尼主题变奏曲》的长笛曲，和一首

《F 大调玛祖卡》（不是作品 25 与 68），都已经查明是伪作。

小提琴演奏大师克莱斯勒在作曲上也是能手。他曾经同世人开了一次愚人节式的玩笑。

他宣布自己"发掘"并编订了一批前代大师们的小提琴曲。这些闻所未闻的"佚作"有：塔尔蒂尼的《科雷利主题变奏曲》、维瓦尔第的《C 大调小提琴协奏曲》、巴赫的《庄板》、博凯里尼的《小快板》、库普兰的《路易十三之歌》、迪特斯多夫的《谐谑曲》、马蒂尼的《小行板》等等。

包括行家在内的听众们，津津有味地欣赏和谈论着这些古意盎然的音乐珍品。克莱斯勒终于透露真情：这些不过是他的拟古之作！有一位受欺的资深乐评家一怒而同他断绝了往来。

标题使你误入歧途

所谓"标题音乐"的乐曲，自然各有作者自取的曲题。例如《幻想交响曲》，等等。"标题"原义并不仅是曲题。可是好多并非标题音乐的作品，也有个标题。有些标题还引起了索隐家们的浓厚兴趣。如果你把这后一类标题当起真来，看成听赏中的向导，那就难免会使联想与想象误入歧途。

标题音乐并非近代才有。早在 16 世纪便有描写雷雨、鸟鸣、打仗等景象的声乐与器乐曲了。然而，巴赫这位"纯音乐"巨匠是不搞这个名堂的。他却没想到，自己的许多作品也被人加上了标题。连一些最"抽象"的赋格，也被赋予了标题！

在巴赫的管风琴曲中被加上标题的如:

《科雷利赋格曲》,因其主题取自那位小提琴家所作乐曲而得名。

《小提琴赋格曲》,这本是管风琴作品,但也曾改为小提琴曲,故名。

《巨人赋格曲》一名,来源于此曲用足键演奏的部分所唤起的联想。

令人不解的是,巴赫那首非常宏大也最为人所乐闻的管风琴曲,至今却只有一个干巴巴的曲名:《d 小调托卡塔与赋格》!

在他写的羽管键琴曲方面,《法国组曲》《英国组曲》等,是钢琴家与爱好者都熟悉的。其实它们同法国、英国并无关系。前者多少因其比较轻快,接近法国音乐风格;后者更说不上有什么根据。有人考证,此集乃应一位英国显贵之请而作。

至于《德国组曲》之得名,有一种推测:既然已经有了英法组曲,那么再安上个德国的标题便是顺理成章之事了!

亨德尔有一首羽管键琴曲,相当流行。它的标题惹人喜爱:《快乐的铁匠》(直译是《和谐悦耳的铁匠》)。此曲原在《第五羽管键琴组曲》中,是一组有主题的变奏曲,根本没有什么标题。后来不但被加上这一标题,还传开一篇逸话。说什么,作者在伦敦附近听到一个打铁匠一边哼着这个主题,一边用锤击配合节奏。还说后来那铁匠的墓碑上也铭刻了这个主题的片断云云。

其实，标题是出版商擅加的。据说这样做的动机与他干过打铁的活儿有关。故事则由一个文人附会成文。这篇不失为有趣的谎言，直到《格罗夫音乐及音乐家词典》第一版出来才拆穿了。

洋洋大观的海顿作品标题

海顿写的交响曲不少于一百零六部。它们的标题也是洋洋大观！

《惊愕》《时钟》《玩具》《牛津》《告别》《军队》，这许多部作品是大家都耳熟的，除此以外还有的是。

例如，《玛丽亚·泰蕾莎》是为奥国皇后访匈牙利而作。《法国王后》（又名《莱茵》）曾受到那位死于断头机下的玛丽·安东妮[1]的嘉许，故名。《母鸡》，其中有个像母鸡咯咯叫的主题。

还有《晨》《午》《暮》《哲人》……举不胜举。

前面提到的《牛津交响曲》，是 1791 年他在那古老的大学被授予音乐博士学位时演奏的，乐曲就算是论文。但另有记载说，当时呈交的学位论文却是一篇微型的三声部逆行卡农曲，全曲只有六小节。（看上去虽然嫌短，但如按照规定的办法由

1　Marie Antoinette，现在通常译为玛丽·安托瓦内特。

三个声部轮唱起来，大概不短而且也是热闹有趣的。好奇的人可以在美国《国际音乐与音乐家百科全书》第五百四十二页找到这篇"论文"。）

海顿交响曲的这些"诨名"，哪些是别人代他取的，哪些是作者自己取的或批准的，已不可详考。据说，当时还出现过他的一整套附有标题的交响曲目。

"海顿爷爷"的室内乐作品，同样是卷帙浩繁而标题极多。有的颇为滑稽。

其中比较平常的题目有《狩猎》《鸟语》《梦》等。有《云雀》，是如今常可听到的。还有的曲子得名于首章的主题，但又有人据其末章的特点题之为《苏格兰风笛》。

有题得奇特的，如《蛙》。它又名《火灾》，又名《维也纳之乱》。

更滑稽的要算《剃刀》了。作者有次刮脸，也许是刀钝，面皮受不了，他嚷道："我情愿拿我最好的四重奏换把好剃刀！"正好这时出版商登门索稿，乃取以为题。

许多名作的标题并非作者自取

莫扎特的作品，那许多标题也是别人给取的。如《朱庇特交响曲》，据考，首次出现在英国的音乐会节目单上，是在 1819 年的爱丁堡音乐节。题名的人，一般认为是钢琴家克拉莫。

《布拉格交响曲》其实是作于维也纳，但在布拉格演出受到热烈欢迎。

《林茨交响曲》是为该地的一位伯爵大人写的。为了伏案赶写，作者在家书中诉苦说自己的头颈都快断了。

《巴黎交响曲》则是作者在巴黎时的产品。

《小号奏鸣曲》，小号并不能奏，它是钢琴曲。开头那主题像小号声，故名。

莫扎特的钢琴协奏曲，傅聪说是竟可以当作歌剧来听。然而，如此生动，仿佛有情有景有人物、呼之欲出的杰作，大多数倒并未得到什么标题。有一首被加了《加冕》这题目。据说是因为庆贺一位大主教的加冕，他弹了此曲。其实早在三年前就写好了。

贝多芬并不反对给乐曲加上标题。他有一个打算，可惜未能实现：自己所作的钢琴奏鸣曲要出一套新版本。把每一部作品所据的诗意、设想都标出来，以便于听众理解。

《悲怆奏鸣曲》便是他自己定的标题。然而在三十二首奏鸣曲中，真正是作者自题的，也不过这一首和《告别奏鸣曲》而已。

有名的《热情》这个标题，是出版家的创作。对于无论是爱好者还是不爱好音乐者，最有吸引力的曲名，无过于《月光曲》了。这标题，连同其有关的故事（有点像《长恨歌》后面附一篇《长恨歌传》），全是假的。贝多芬原题只是《幻想曲

风的奏鸣曲》而已。此曲另有个我们意想不到的标题:《凉亭》
(茅亭)。据说这是根据作者作曲时待的那个地方取的名。

居然还有这样的标题:《因为丢了一文钱而光火》! 这是
作品第 129 号,原名只是《随想回旋曲》。贝多芬死后,又过
了一年才发表,其实是青年时代未竟之作。曲中充满了一股动
力,有不可遏止之势。一听便知是他的作品,假不了。滑稽的
标题不知何人所加。当然不能作为欣赏的依据。

在九大交响曲中,四首是有别名的。其中,《英雄》《田
园》,可以当作是作者自题的。另外两首,《命运》《合唱》,也
还取得有道理。

钢琴协奏曲中的第五首是《皇帝》。谁给加上这曲题的,
已无可考。有人说是钢琴家克拉莫干的。

小提琴奏鸣曲中,《克莱采》是因所题献之人(小提琴
家)得名。《春天》则不知何人所加。他写的弦乐四重奏中有
一曲是《竖琴四重奏》,这标题曾害得有的听众徒然地朝台上
寻找竖琴,其实是因为曲中用了一些拨弦奏法而已。

自己并不喜为作品加标题的肖邦,偏偏有许多人给他的许
多作品配上了诗意或画意的曲题。他的《夜曲》在英国出版时
被乱加标题,例如什么"泪珠""叹息"之类,他对此讨厌极
了。后来有些已为人们熟知,也便约定俗成了。

《雨点前奏曲》,其中确实有一种秋雨潇潇的意境。连那由
疏而密滴个不停的雨点声,也非常真而不俗。然而肖邦自己并

不承认他是在西班牙之游中受雨景感染而作，尽管同游的乔治·桑如是说。

《革命练习曲》《冬风练习曲》《牧童练习曲》《蝴蝶练习曲》，统统不是作者自己所题。

有的曲名还有打不清的官司。如《小犬》，是指作品 64 第 1 号那首圆舞曲。据说是因乔治·桑的小犬追着自己尾巴打转而作。它又名《一分钟》，因为它短小，一分多钟即可奏完。但是有个自称知情的钢琴家声言，人们搞错了，《小犬》是 F 大调的另一首圆舞曲。

不但小犬成了曲名，还有《猫》，即作品 34 第 3 号那首圆舞曲。自然也有段小故事：肖邦见小猫在钢琴键盘上嬉戏，很有趣，激发了乐想云云。（早在 18 世纪，斯卡拉蒂有一首赋格曲也是以猫为题。那是小猫在琴键上踩响了几个音，作者便用这几个音为主题，成赋格一首。）

无词歌这一体裁的发明权是属于门德尔松的。似乎他是意在忘言了。可是翻看那厚厚的一本《无词歌集》，却都有个标题。其中，《春之歌》《纺歌》，已经是爱乐者家喻户晓的了。其实，真正是作者自题的，只有五首：三首《威尼斯船歌》《二重唱》与《民谣》。

正因其是别人拟的，有的便不止一种。就如《春之歌》，又叫《康伯维尔草坪》，原因是此曲作于该地。其实《春之歌》这标题非常合适，听众已经批准了。

《纺织歌》也另有一名:《蜜蜂的婚礼》。如果不存成见，听起来似乎倒更贴切些。

《芬格尔山洞》这首以实景为依据的山水画，就连对作者有成见的瓦格纳也表示过称赏。它另有一题是《赫布里底群岛》，其实他自己原想题为《孤独之岛》。

先有曲后有题的乐曲

大家听熟了的《梦幻》，是曲集《童年情景》中的一首。其他几首也各有标题。这都是作者定的。但据舒曼自己透露，那些题目，都是曲已谱成之后才想出来加上去的。用意无非是为了演奏与欣赏的方便。

勃拉姆斯竟然因为已谱之曲还缺个题目而求助于他的乐谱商。由于时间迫切，信中"能帮忙给想个曲题吗？"这句话的后面加上了七个问号三个惊叹号。后来一改再改，定为《随想曲——为钢琴而作》(作品76)。

德彪西的作品，绝大部分有他自题的曲名。他的曲中有画，那些曲题也如同画题，如《云》《雨中花园》《水中倒影》等。有的又像诗题，如《飘荡在晚风中的声音与香味》。

然而他也有先成曲而后加题的。如《月落荒寺》便是听了别人的建议添上去的。建议者即此作所题献之人。《前奏曲集》的二十四首作品，曲题都安在每一曲后面，以示并不强加于人。

　　有的名作有曲体和调性相合的两首，如巴赫的《c 小调赋格曲》（大）和《c 小调赋格曲》（小）。那大和小是为了区别才由后人加上去的。然而舒伯特的两首《C 大调交响曲》，最著名的那首，却被附加了一个"伟大"的词儿，有人猜想，也许只是因为它比另一首长大而已。（英文的这个"大"和"伟大"都是同一个词：great。）

音乐"文字"及其复制

—— 闲话乐谱

古谱难通

正像我们要看懂敦煌琵琶谱、隋唐七弦琴谱，就必须下一番"破译"的功夫那样，欧洲音乐学者要释读他们的中世纪古谱，也相当困难。古谱使用的符号，同近代的不一样，而且经常变迁，各地区又有自己的一套，因而含义难明。

即使是去今较近的巴洛克音乐，要按谱准确演奏，麻烦也不少。那些装饰音、宣叙调、数字低音，到底怎么奏法才切合原作的风格，绝非一个素养不够的演奏者容易解决的。某些疑难问题，连专门家也各持一说。

一首乐曲，分成若干小节，用纵线来划分。这似乎是不值得一提的音乐常识，也似乎是天经地义。谁知古谱上并没纵线，也不分小节。例如 16 世纪复调大师帕莱斯特里那的作品便是如此。我们面对这种乐谱，就像读一本中国古版书籍，没有标点，叫人不知如何断句。

我们常用“五线谱”与“简谱”对称。其实在 18 世纪以前的欧洲，谱上并不都是五线一组。如管风琴家弗雷斯科巴尔迪（1583—1643）的一首管风琴曲，右手部分是六线，左手八线。

如今的音符，符头像个豆芽菜。古谱上却是方形、菱形。最早印制乐谱的人，利用铅活字的屁股印音符，就因为那是方的。

麻烦的附点

一个小小的附点，如何演奏，总不会有什么问题了吧？可是古时（直到巴赫时代）的附点用法，与今日不尽相同。如果在巴赫、亨德尔的作品里遇到附点，有时就不能按后来的规则去处理。它那时值只能延长三分之一。有时又相反，附点后面的音符应该奏得比现在更短些。如果是在一段很慢的音乐中，那个单附点又可能要奏得像一个双附点那样。在《弥赛亚》序曲开始处，便会碰到这个疑难问题。普劳特编订本就是照双附点那样处理的。然而很少有什么指挥家按此演奏。他们认为，这与亨德尔的风格是不协调的。（据考，首创双附点符号的，是老莫扎特。而在大师中最先使用它的则是他儿子。）

演奏舒伯特的作品，其中有些二音对三音，附点节拍对三

连音的地方，如何处理，往往有疑问。在德彪西作品中也有此
类麻烦事。

乐谱还不完善

记谱法还没影子的时代，音乐早已存在了。民歌这宝
藏，便储存在人民口耳相传之中。由于没有谱，或虽有而不完
善，古乐因此湮没失传。《广陵散》需要"打谱"。敦煌古谱得
"破译"。

音乐从单声发展到有复调、和声，越来越复杂。没有谱，
就无法做到准确演奏。

现在的乐谱可以把交响音乐这样复杂无比的音乐记录下
来。据谱演奏，基本上可以实现作者的意图。

然而，现在通用的乐谱并不完善。

许多东西在谱上是记不下来的。例如某些音调上的微妙变
化。但在实际演奏中，如果缺少了此种变化，音乐便僵死了。
又如"自由节奏"，在谱上也无法显示。于是肖邦作品中这一
重要因素，就只好一任演奏者自己负责去解决。

无怪早在巴洛克时代，库普兰就慨叹：我写的是一回事，
人们奏的是另一回事。

五线谱不完善（也就是不大科学），根源在于，它并非一
开始就经过周密考虑设计出来，而是按着传统习惯，将就着逐
步改良而成的。

比起后来出现的简谱，五线谱的一大优点在于，从谱上可以直接显示音的高低。高低音不同的音符，在谱上曲折地进行，当图案来观赏也颇有趣。然而，一碰到有升降半音，它又背离了此一原则，不是直接显示而是依靠升降符号了（在谱上，原位与升降音都在同一高度上）。

现代派作品，谱中的临时音记号多得要命。如勋伯格的《月光下的彼埃罗》，有若干页中，竟有 98% 的音符是加了升降记号的。读起来多不方便！而且，临时音记号原来往往是"离调"（即暂离基本调性，而非转调）的"信号"，在这种"无调性音乐"中，似乎也失去了意义。

在时值的显示上，记谱法也相当乱。往往看上去是不同的符号，所代表的却是同一种时值（例如慢速度的十六分音符与快速的四分音符，等等）。害得学音乐的人在读贝多芬奏鸣曲某些慢乐章时大伤脑筋。其实如果改换记法，本来并不麻烦。

在调性的显示上，记谱法也是含糊不清的。因而造成了记谱、识谱与读谱上的不必要麻烦。就是大音乐家，也不免在写谱时搞错。贝多芬便是一个。例如他的作品 26 号那首奏鸣曲中，有一处便把临时音记号搞乱了。

改革乐谱方案多

改良钢琴键盘的方案很多，有志于改良记谱法的人还要多。卢梭是其中之一。他曾将自己的发明呈交法国学士院，被退了回来，批示云：既不新颖，又无用处。他求助于拉莫，后者指出了其中存在的问题。这便是那后来经过别人改进后被大家采用的简谱。它通过日本人传到中国，对于普及音乐教育，应该说是厥功甚伟。老托尔斯泰在他自办乡村教育时也看中了这个工具。

乐谱的改良方案是各式各样的。有的要简化谱号，只用一个高音谱号。超出其范围的音，加用一种符号表示。初看非常方便，其实并不理想。

有人设计的新谱表，变横向为纵向进行，从上往下读。十二音各占一个位置。如此便将升、降、还原记号都甩掉了。时值以音符所占空间的大小来直观地表示。此人显然广有资财。1951 年，他用这种新式谱表印行了一万种乐曲。其中包括大量经典作品。

有一种方案简便易行。它并不去过多触动传统的记谱法，几乎一切照旧，只是改用形状不同的符头来表示升降音。一个会弹钢琴的人，只消用几个小时，便可学会这种新式乐谱。读谱也变得更加容易了。

无调性音乐大师勋伯格，也提出了一种改良方案。其特点也是给十二个音以平等权。可以想见，用老办法记谱，写下他那十二音体系的乐曲，那些数不清的临时记号也真够他烦的了！

可惜的是，正如键盘改革家虽然煞费苦心，至今人们弹的仍是中世纪就有的老式键盘（如今倒又得了个"标准键盘"的称号！）谱表的改革遭到了同样的命运。

这里面的障碍有二。首先，有数以吨计的乐谱与版子堆积在出版商的仓库里，如要再版，极其方便，谁愿意让它们报废呢？再就是旧的记谱与读谱习惯，已经根深蒂固。从事音乐的人们，也没有那个兴趣从头学起，另搞一套。

蔡元培这位提倡"美育"重视音乐的教育家，早在辛亥革命初便在全国教育会议上主张"十二音符之新乐谱在欧美为习惯所限，明知其善而尚未施行，我国亦不妨先取而行之"。

很有意思！赵元任也热心于五线谱的革新，在《写给朋友们的绿皮信》的第二封里，他推荐一位外国有心人设计的改良谱，它仍用五线，不用谱号、升降号，不用移调，C音永远在下加一线上。他自己练习了不过三小时，便掌握了它。（见《赵元任音乐论文集》，第七十三页。）

据估计，假如实行改良，采用新法，可使学音乐者至少节约一年的学习时间。但出版家的利益，音乐工作者的因循守旧，使人们仍然将就着用那不科学的记谱法。

不过，个别的新式记谱还是出现了。试观现代派的斯托克豪森等人所作的那种离奇的音乐，不是已经采用了古怪的记谱吗？未闻其乐，先观其谱，就可以猜想其"不同凡响"了！

卢梭与抄谱

乐谱早期的流传，是靠人手抄的。于是抄谱成了一种营生。《忏悔录》的作者卢梭，就曾经干过这活。卢梭不但是大哲学家，同时还是一个不算无名之辈的作曲家，他教授过音乐，那部著名的百科全书中的音乐条目，就是归他编纂的（音乐家拉莫曾著文指摘其中的错误）。像他这样一位学者，并不把帮人家抄谱挣钱看成不体面的事。干这种活的收入，在其生活来源中还占了不小的一部分。

在他于 1767 年编写的那部《音乐词典》中，"抄谱"这一条目写得特别长。作者自己也承认有乖体例。由此也可见他对这个问题多么感兴趣了。

在他写的那一条目中，他认为"抄"比"印"更可取。他指出，有些作品是无需大量复制的，抄谱最为相宜。只有那些已经广泛流传的作品，才值得一印。

他还大谈其怎样才能算个好的抄谱手。不仅要不抄错，且要抄得更便于演奏。使演奏者感到极其舒服，而又不知其所以然。

可能因为他自己是个小小的作曲家（所作歌剧《乡村占卜师》曾上演多次）吧，他特意提到，即使抄手比所抄乐曲的作者更为高明的话，也不该随便去改动人家的创作。

有意思的是，卢梭从一开始便打招呼：如果有谁拿我抄的乐谱来同这些规范对照的话，我就倒霉了！

1770 年，莫扎特父子俩在米兰，小莫扎特的歌剧正在那地方演出。老莫扎特在寄回去的家信中提到：当地抄谱手也对作品感到满意。因为上演成功之后，他们便可以复制剧中咏叹调等曲而从中捞一笔。那收入，要比歌剧作者所得酬劳还多。

英国大诗人弥尔顿，游意大利时寄回国好多音乐资料，都是抄谱手的产品。

在印制乐谱已实行近三个世纪之后，印本与抄本依然并行。抄本的供应，一度还兴旺了一阵。1755 年，莱比锡著名乐谱行，勃来特可普夫家的出版目录上，所列的抄本竟比印本还多。该行雇了一批抄手，专为客户抄写那些尚无印本供应的当代作品。

更晚到 1836 年，又一家著名谱店诺维洛家的广告上告白道：……除上列印刷本之外，本店尚有大批乐谱藏本，以手抄本供应。

贝多芬晚年的得意之作《庄严弥撒》，采取了预约手抄本的发行办法。他有个主要的抄谱手，为他承办抄谱一事凡二十五年。此人一死，贝多芬需要抄谱时便感到不那么顺手了。

印刷术为音乐效劳

中国发明的印刷术传到泰西之后，不久也被用于乐谱的复制。时在 15 世纪末叶，正当欧洲的复调音乐大盛之时。印刷术正好促成了它的交流、普及。如果没有印刷术，那时的很多作品一定会失传的。

早期的谱线用红色、音符用黑色，印刷时先分后合，分两步进行。这种套印法，不大容易套准。也有的谱，谱线用印刷，再手写上音符，或反过来。

此后便有"活字"式排印法。但上面说的套印法也沿用了三个世纪之久。

到了18世纪初，"活字"排印法几乎绝迹了，又兴起一种冲制的金属版印刷法。值得为之书一笔的是，老巴赫曾亲自动手，把一部分自己的作品制成此种版子。他的同代人泰勒曼也曾这样干过。这种版是用钢制的冲子在金属板上冲打而成。"活字"法何以被淘汰？一个重要的原因是，音乐作品日趋复杂，用此法拼凑成版，已经不好办了。其实我们如果把15世纪同巴洛克时期的谱例作一对照，这是很好理解的。

1796年出世的石印法，实际上首先应用于乐谱印制。

当韦伯还是个孩子的时候，便曾当过塞纳非德尔的助手。此人就是石印法的发明者。有一次还出了事故，韦伯误饮制版用的酸液，受了伤害。

瓦格纳的《汤豪塞》，总谱1845年版，是由作者自己动手，抄在石印专用的"复写纸"上，然后上石制版的。同年，他的另外两部歌剧总谱也用石印出版。作曲家拿到了二十五套石印本。不过这次抄写上石是由抄手代劳了。

自从 19 世纪后期有了照相石印与照相锌版之后，印制乐谱就更方便了。1820 年，一部《弥赛亚》的抄本要卖两个几尼（约合十美元）。1830 年只需一个几尼。到了 1846 年，英国的诺维洛谱店分期在十二个月中出版此谱，每期只售六便士。

乐谱印刷术不断改进，然而终究是件麻烦事，也极易出错。

贝多芬是亲自看校样的。可是连《命运交响曲》这样重要的代表作，总谱中也发生了并非无关紧要的差错，始终无人发觉。直至 20 世纪 70 年代，我们才知道，"谐谑"乐章中漏掉一个反复记号。这一记号被遗忘了一个世纪，使乐曲被缩短了好几分钟。

某些作品，印本中出现差异，聚讼纷纭，必须仔细查对原稿手迹，对勘各种权威版本，才能弄清楚。

人们自然希望能找到更方便快捷的办法。18 世纪便有人设想，模仿钢琴的机制以打印乐谱。但直至 1833 年，才有位马赛人提出一项乐谱打字机的专利申请。从此有多种类型研制出来，不过都只适用于音乐家个别使用或小批量印制。

现代最新式的乐谱打字机已安上了电脑。有的还可以刻制蜡纸。

乐中之舞与舞中之乐

——闲话乐舞姻缘

乐舞结合，自古已然

　　西方古典音乐同舞蹈的关系，简直可以说是一种分拆不开的血缘关系。

　　远的不谈，试想巴赫以来的音乐，其中本身就是舞曲的就已不可胜计。虽然并非舞曲而以舞曲为结构形式的也极多。小孩子初学弹钢琴，就接触到巴赫的那些小步舞曲、嘉沃特舞曲等等。在海顿、莫扎特的奏鸣曲、交响曲中，小步舞曲是少不了的一个乐章。贝多芬的第一部交响曲和《月光奏鸣曲》等早期作品中也有它，后来他才用谐谑曲形式代替。

　　到了柏辽兹、柴科夫斯基手里，圆舞曲形式也进了交响曲。门德尔松在交响曲中引进了意大利舞曲。德沃夏克等在交响曲中采用本国的民间舞曲。

即使那些外表上不用舞曲形式的乐章，往往也有一个舞蹈的灵魂隐然可见。整部贝多芬的《第七交响曲》，就可以当一组无形的舞蹈来想象。

19 世纪以来，许许多多名作，包括大部头的交响音乐，被编成了舞蹈或舞剧。那原故，恐怕不仅是因为音乐的形象性，而且是因为那形象的舞蹈性，在于舞与乐是难舍难分的一体。

然而，将舞与乐更其形象昭然地合而为一，则有 17 世纪开始发展起来的芭蕾，19—20 世纪的现代舞蹈。

第一部重要的舞剧，上演于 1581 年的巴黎。当时法王宫廷中有两位艺术家：吕利与波夏姆。前者是我们知道的大音乐家，也就是被自己手中的指挥棍击伤送了命的那一位。后者是舞蹈专家。法王嗜好舞蹈艺术，于是宫中盛行。正如音乐术语多用意大利文一样，舞蹈术语多用法文，源出于此。

1661 年，法王设立了舞蹈学院。路易自己也常常登场表演，有时吕利还陪舞。吕利写的舞剧中，用了嘉沃特、小步舞、恰空等舞蹈。

直至 1681 年，舞剧中才有女角。当时舞者都有一大套行头，戴假发与头饰，脚蹬高跟鞋。

1734 年，沙勒大胆地穿了纱衣出场，一时为之哗然。1726 年起，大出风头的舞蹈家卡门哥开始穿短裙跳舞，但裙仍过膝。

18 世纪时，诺维拉倡议革新，主张摒弃老一套的行头与
程式，发展了哑剧成分，建立了"戏剧性芭蕾"。此人曾和莫
扎特合作。莫扎特为他写过芭蕾音乐。但当时许多舞剧的音乐
多借用现成作品。

18 世纪末，舞剧已大破成规，1820 年又兴起了足尖舞。
浪漫主义之风也吹进了舞蹈艺术。对女性的理想化，也许是舞
剧中男角退居次位的原因之一。服装愈来愈短，紧身舞服也出
现了。

19 世纪中叶，许多舞剧的音乐多为法国音乐家所作。例
如《吉赛尔》，台本作者是有名的诗人戈蒂埃，而作曲者是
亚当。

以音乐而论，还是德利布高明。他那两部舞剧，《西尔维
亚》与《葛珮莉亚》[1]，剧中音乐弥散着一种非常优雅令人心醉
的香味。柴科夫斯基并非妄自菲薄，可是自认为要跟德利布的
《西尔维亚》相比，自己写的《天鹅湖》简直算不了什么！

歌剧中的舞蹈

18 世纪以后，歌剧又同舞蹈结下不解之缘。卢梭在他编
著的音乐词典中，对于不管剧情需要与否都塞进舞蹈场景的做
法大不以为然。但当时巴黎的歌剧观众，执意要看到舞蹈，连

---

1 *Coppelia*，现在通常译为《葛蓓莉亚》。

格鲁克这样不随和的大师也只得妥协，在自己那些严肃的作品中安排下舞蹈，不过，尽量使之成为剧中的有机组成部分。

莫扎特的歌剧也有舞蹈场面，但安排得合乎情理。《费加罗的婚礼》中，婚礼宴那一场舞蹈根据剧情发生在西班牙这一点，特为用了一段西班牙的凡当哥舞[1]。为了显示地方色彩，他还特为挑选了一支本色的西班牙民间曲调。可巧，早先格鲁克在舞剧《唐璜》里也把它用上了。

莫扎特的歌剧《唐璜》中也有一个舞蹈场面，那真是妙不可言令人叫绝！台上的角色，各按其不同身份同时跳着三种舞蹈，即小步舞、圆舞与乡村舞。除了乐池中的大乐队，舞台上还按剧情规定摆了两个小乐队。三个乐队，三种舞曲，三种节奏，而又巧妙地合而为一。

直到 1841 年时，旧的风习依然如故。柏辽兹这年上演韦伯的《自由射手》这部经典著作，又被迫硬塞进舞蹈场面。他想了个点子，借用也是韦伯写的钢琴曲《邀舞》，改为管弦乐曲，以配舞蹈。今天我们听到的管弦乐演奏的这一作品，便是由此产生的。

19 世纪，许多最卖座的歌剧，尤其如迈耶贝尔所作，无不穿插舞蹈。如《恶魔罗勃》中女尼们的阴魂从坟墓里翩翩起舞。《非洲女郎》中则是一场东方色彩的加冕行列之舞。

1　Fandango，现在通常译为凡丹戈舞。

前文谈到瓦格纳在巴黎演《汤豪塞》时因剧中舞蹈的问题被嘘。他正是这种风气的受害者。既然别人吃了苦头，古诺、托玛等作曲家便接受教训，写起歌剧来都少不了舞蹈。一直非常流行的《浮士德圆舞曲》，便是该剧第二幕中一段。但在歌剧演出时还有合唱同时进行。托玛则安排了《迷娘》女主角跳一场嘉沃特舞。

威尔第不是一个迁就无聊时尚的人。在《麦克白》中有《女巫之舞》。而在《弄臣》这部戏剧性很强的歌剧中，他就不去硬加什么舞蹈了。

理查德·施特劳斯所作歌剧《莎乐美》中，那场《七层面纱舞》显然是剧情展开所不可少的。此曲有个不登大雅之堂的别名——"肚皮舞"。比亚兹莱为王尔德原著作的插图，可为此名作脚注，盖指其纱衣既解，肚腹毕露。那么有人直称之为脱衣舞也便不足怪了。此曲音乐质量颇高，不止是赏心悦耳而已。对《伊戈尔王子》中的《波洛维支人之舞》[1]也可以这么看。而像蓬基耶利的《乔康达》中《时辰之舞》一类作品，就不免流于媚俗而不耐多听了。

从名曲中发掘舞蹈

以《吉赛尔》《葛珮莉亚》《天鹅湖》《睡美人》等为代

1　*Polovtsian Dances*，现在通常译为《波罗维茨舞曲》。

表，19 世纪的舞剧在乐与舞的综合表现上不能说没有成就。许多舞剧的音乐，成了可以独立演奏供人听赏的名曲。然而即使是其中最优秀之作，也谈不上有什么深刻的表现力。

为了突破旧程式，一方面也为了向音乐中汲取新灵感，于是一些舞蹈家与编导兴起一股新潮，将那些原先并非为舞而作的音乐拿了来"舞"。邓肯、福金、蒂亚格莱夫等属于这一潮流中的代表人物。

不仅是一些小品如肖邦等人的作品，被"舞"了起来，连整部的交响音乐也成了舞蹈背景。

邓肯跳过贝多芬的《第七交响曲》《悲怆奏鸣曲》中的《柔板》，舒伯特的《音乐瞬间》与交响曲，肖邦的《葬礼进行曲》，施特劳斯的《蓝色的多瑙河》，柴科夫斯基的《斯拉夫进行曲》，柏辽兹的《拉可齐进行曲》[1]，等等。《马赛曲》是她跳过多次的一个节目。

她还憧憬过用舞蹈来表现贝多芬的《第九》。

里姆斯基－科萨科夫写歌剧和标题音乐，喜欢将音乐形象化、视觉化，奇怪的是他讨厌邓肯的做法，反对化乐为舞。

瞿秋白在《赤都心史》中用了整整一章来介绍邓肯（题为《美人之声》）。

有些舞蹈编导家，对名曲作了新的诠释。例如组曲《天方

---

1 *Rakoczy March*，现在通常译为《拉科齐进行曲》，又名《匈牙利进行曲》。

夜谈》改成舞剧以后，设计的有些形象同一般人听原曲的联想是对不上号的。

《牧神午后前奏曲》这首印象派名曲，也被编成了舞蹈。红极一时的舞蹈家尼任斯基主演过此中的牧神。根据文字介绍和从剧照来看，舞蹈家的表面化的解释，对于空灵的原作恐怕是点金成铁！联想到另一首名作，圣-桑的《天鹅》，有人将其处理成《天鹅之死》，这同我们听赏原曲时的感受也是颇不一致的。

柏辽兹的《幻想交响曲》被改为舞剧，当然不奇怪，情节、意象是现成的。并不写标题乐的勃拉姆斯的交响曲是比较晦涩的纯音乐，但他那部《第四交响曲》竟也有人拿来舞蹈化了（1933年）。这件事曾引起人们好一阵议论。

更令人难以想象的，巴赫的杰作《帕萨卡里亚舞曲》，1946年也出现了它的"舞蹈版"，被编成了带情节的舞蹈。这也受到了人们的非难。

听音乐的文明

—— 闲话音乐会及其他

音乐会小史

像今天这种可以买票入场的音乐会，在 18 世纪之前并不存在。那时，教堂里唱、奏宗教音乐。宫廷或贵族之家有世俗音乐演奏活动，但那与平民无缘。

欧洲最早举办凭票入场的音乐会的，据考是英国的约翰·班纳斯特。时为 1672 年。此人是个小提琴手。音乐会的场子只不过是一个大房间，里面摆上一圈椅子和小桌子，倒像家啤酒店。票价是一先令。他去物色来的一伙乐师便在隆起的小台上演奏。每晚六时开始。一连搞了六年之久。

到了 1678 年，又出现了一种私家主办的定期音乐会。每周一次，延续了三十六年。主办人是汤姆斯·布列顿。这是个自学成材的音乐家。当时伦敦城里一些饱学之士都愿同他交游。但他的本业，却是天天扛着一袋木炭沿街叫卖。所谓音乐会，场子就在他那家炭行楼上，其中安着一架只有五个音栓的小型管风琴。亨德尔曾去弹奏过。还备有一架羽管键琴，也不大，却有人评价是当时最好的一架。

这种音乐会，一开头是免费入场的。后来发售年票，价十先令。场内还有咖啡供应，一便士一杯。因其场地狭小，有人幽默地说是：谁要是拼得流一身大汗，就可以在那儿欣赏到好音乐。

18 世纪是音乐会事业开始兴旺的世纪。凡是没资格进入宫廷与贵人家庭音乐会的有产者市民，从此也不难找到可以满足音乐爱好的地方了。

1710 年，英国有所谓"古乐会"。在这个社团所举办的音乐会中，是坚决不演奏"现代音乐"的。什么是"现代音乐"呢？主要是指亨德尔之作！

到 1776 年，又出现一个"古乐音乐会"。虽然其宗旨是"凡未超过二十年的音乐作品概不演奏"，但他们的音乐会是亨德尔崇拜者过瘾的好机会，这班亨德尔迷中，为首的是英皇乔治三世与五世。这一组织每年开音乐会十二次，外加一次《弥赛亚》的演唱。挫败过拿破仑的惠灵顿，也曾参与过选定节目之事。这不奇怪，他年轻时是个业余的小提琴爱好者。

此后，英国"爱乐社"出现于 1813 年，由职业音乐家组成，所组织的音乐会，特别重视器乐演奏。那节目，今天看来未免"重"了些。每次都少不了两部交响曲、一部协奏曲，外加其他。贝多芬的《合唱交响曲》，就是应该社之请而作。后来听到大师病倒，该社还决定致送赠款百镑，以济困窘。

有件事颇足以说明音乐会这种活动的发展，而其特点是从宫廷贵族家转向市民社会。

海顿本是奥匈贵族艾斯特哈兹亲王家一名乐师。每逢开饭，他只能"坐在盐瓶以下"即仆役位置上。有时则是主、宾在吃喝，而他却必须领着王府乐队演奏助兴。此种清客、帮闲的身份，正是莫扎特所不乐为的。到了18世纪末，海顿却应音乐会经理人沙罗门之请，赴英演出了自己写的神剧《创世纪》与交响曲（因而那几部作品被呼为《沙罗门交响曲》）。1782年，莫扎特也曾同马丁其人在维也纳主办音乐会。场子利用园林与广场，乐队则是职业管乐手加上客串的弦乐师。

从贝多芬传记中可以看到，当他从波恩来维也纳定居之时，在按季举行公开的音乐会这方面，音乐之都却落后于英、法。只不过一年一度为慈善事业筹款开次把音乐会。偶尔才有预订门票的音乐会。我们的乐圣，便是在以上两种场合同贵族以外的广大听众见面的。

在1795年3月的慈善音乐会上，他以作曲兼演奏家身份登台，弹了自己的一部钢琴协奏曲。两天之后又有一场音乐会，举办人是莫扎特的未亡人康斯坦莎。贝多芬这次弹了莫扎特的一部协奏曲。

除了为慈善性质的音乐会效劳，和参与贵族们私邸的音乐活动以外，贝多芬要想自己开场音乐会弄点钱，就不那么容易了。他曾申请皇家剧院准许他每年利用剧院搞一次义演，然而颇费周折。他甚至暗示过，不能如愿的话，将离此他往。1808年11月，终于获准在剧院开了一次义演音乐会。其节目安排分量之重，今天的听众恐怕会吃不消。除了《命运》和《田园》两部交响曲、《第四钢琴协奏曲》《C大调弥撒曲》（部分）《音乐会独唱曲与咏叹调》，外加他本人出场，即兴演奏钢琴。饶这样他还怕听众不满足。又决定：得加个"终曲"。为此便突击写成了那首《合唱幻想曲》。

这次义演，虽然声势不凡，但因安排不当，反而事倍功半。有的作品未及充分排练，奏到半中腰突然断了气，只好重新来过。时间过长而剧场奇冷，演出乱糟糟地收了场。

19世纪之前，独奏、独唱音乐会既不行时也无人敢冒此风险。据考，"独奏音乐会"（Recital）一词，首先用起来的是李斯特。那是1840年，出现于他在伦敦演出的海报上。这是别人给他出的点子。从此，独奏会便盛行于世了。

1848年7月，肖邦在伦敦开独奏会。实际上仍有维阿多夫人的独唱节目穿插其间。至于1832年他在巴黎首次露面的那场音乐会，却是个大杂烩。肖邦所担任的，只是最后一个独奏节目。此外则是他和门德尔松等五位名家的"六音联弹"，此事已见前文。

方便听众，辅导欣赏

为音乐会节目写说明，或附以歌词等资料，从 1768 年起便有这种做法了。

1801 年，英国科文特剧院演奏莫扎特的《安魂曲》，为此编印了歌词一册，附以作曲者传略等文字资料。这大概就像慕尼赫剧院来华演出《费加罗的婚礼》时编印的那种说明书。

一个绝妙的历史细节！从一些已成古董的歌剧台本上可以看到点点烛泪。不难想见，往昔的观众带着它边看戏边对着台本的情景吧！为此还有人在剧院门口供应这种蜡烛。到了 19 世纪，歌剧台本成了观剧仕女必备之物。台本除了原文还有多种译文的，据说《罗恩格林》至少有二十二种，《弄臣》至少有二十一种。（现在的唱片中所附台词，似乎只有两三种译文吧？）

1813 年，韦伯在布拉格担任指挥时，写了不少乐曲介绍，刊于当地报端。

从 19 世纪 40 年代起，英国经理音乐会的机构，很注意提供这类资料，其中以高质量为人称道的乐曲解说，出自格罗夫手笔。他就是权威的《格罗夫音乐与音乐家词典》的主编。从 1856 年开始，他不停地撰写这种解说文字，凡四十年之久。这是为"水晶宫"（音乐厅）著名的星期六管弦乐作品音乐会写的。其中阐释贝多芬九大交响曲的那几篇，后来扩充为一部专著出版，至今为人所重。

已有中文译本的《交响作品分析》，著者是有名的英国音乐家托维，也是旨在为一系列音乐会作辅导而作。

巴黎从 1911 年起出了一种《音乐会指南》周刊。专为下一周的各场音乐会节目提供解说，并附有谱例。

有一种在美国曾实行过的办法就更有实效了。主办者将音乐会节目介绍提前免费邮赠已订购门票的听众。信封上特别注明："邮递员请注意，此中系预告节目，其效果取决于是否迅即投递。"这显然比等到入场时才拿到手更加方便听众了。

波士顿乐团提供的节目介绍，内容更为完备。它的重点放在作者传记与参考文献索引上，而并不作过多的乐曲分析。

在乐评集《克罗士先生》中，德彪西提出以打幻灯片的办法配合演出。

"安可尔"的灾难

"再来一遍"是对"Encore"一词的意译。直译其音，便是"安可尔"。原文是法语。英国人用这词，首见于艾迪生《旁观报》1711 年的 2 月号。但法国人自己用的，倒是另一个词（bis）。而美国人在这种场合喊的却是"Bravo！"

海顿、莫扎特他们并不反对把自己作品中某个乐章"再来一遍"。

即便艰深之作如贝多芬晚期写的作品 130 号弦乐四重奏，初演时也曾被"安可尔"了两个乐章。

　　说它是灾难，凡领教过某些流行歌曲演出场面的人，已无需再多解释了。

　　在西方，反对"安可尔"的，有一部分人是为独唱或独奏者叫屈（他们或她们已精疲力尽正想喘息一下，却还得返场应命），但更多的非难是由于它把音乐的完整性给破坏无遗了。

　　1875 年，《罗恩格林》在英伦首演。演到高潮部分，天鹅舟从天而降。这时观众却执意要求合唱曲再来一遍。瓦格纳苦心设计的戏剧与音乐效果都被糟踏了。

　　同样，曾一度大为流行的吉尔伯特与萨利文歌剧，就因为在演出中深受"安可尔"之害，弄得演出不能一气呵成，降低了它的艺术品格。

　　海顿在自己的杂记本子上记下一件趣事。这是 1792 年访英时他亲眼目睹的。在科文特园的演出中，为了一段二重唱的"安可尔"，包厢与后座观众同不愿迁就的主持者，相持不下达一刻钟之久。终于还是再来一遍。其间，两位演员一会儿冲出台去要唱，一下子又被挡了回去，惶然不知所措。

　　在法、意诸国，"安可尔"的滥用更是不成话。原义"再来一遍"变成了随便加演。有的歌剧明星，竟加唱一些同剧情风马牛不相及的流行歌曲。有的演员预先就在幕侧放好一架钢琴，掌声一起，便冲出台去，加唱小曲。

　　1844 年，在英国的一场音乐会中，亨德尔作的一首歌遭到没完没了的"安可尔"，弄得其他节目接不上去，只得宣布散场了事。

于是有一种禁止"安可尔"的措施。

1799 年，海顿的《创世纪》在英演出。海报上印出了作者的告白：对于作品的"安可尔"，是作者的无上荣幸。但为了作品的连贯，敬请诸公还是免予"安可尔"为好。

瓦格纳要搞歌剧革命，对于破坏艺术完整的传统习惯他是不能容忍的。他并不反对观众鼓掌，只要求大家理解：别指望作者、演者出来谢幕。在拜罗伊特节日演出中，他站起来声明了这一点，并带头鼓了掌。从此，拜罗伊特便有了规矩：第一幕后，肃静无哗；二、三幕终，可以鼓掌，此时，大幕拉开，展示舞台面。

捧场和喝倒彩

1868 年都伯林上演韦伯的歌剧《奥伯龙》。女歌手唱罢一曲，观众大鼓掌，十五分钟还不停，直到她答应加唱一首《夏日的最后玫瑰》，才安静下来。但乐队没有准备这份谱子，仓卒之间只好再去搬一架钢琴来伴奏。"奥伯龙"与下一场才该出场的四个"恶魔"也参加了搬运。唱完这首民歌，才继续演下去。

1831 年，帕格尼尼同一个叫勃拉安的歌手合开一场音乐会。狂热的听众不但大来其"安可尔"，还硬要他们站到钢琴上去唱奏，好让大家都看个清楚。

18、19 世纪时，演出歌剧，不光有为某个歌手叫好的，还有专对乐队中某些演奏手叫好。例如："真棒，中提琴！"之类。柏辽兹年轻时还见过有人为某个低音声部乃至双簧管乐句中一个吹得漂亮的音符叫好。（此种人肯定是位行家了。）

那种经久不息的鼓掌，19 世纪时有人称之为"无终鼓掌"。据说，《邀舞》一曲演奏时，很少会不出现"无终鼓掌"的，不论是钢琴曲还是改编的乐队曲。（滑稽的是，常有人在曲终之前错鼓了掌。）

听赏大型乐曲，在乐章之间鼓掌，如今已不时兴。但在演奏协奏曲时，仍有这样做的，尤其是弦乐器的协奏曲。借此机会，独奏者正好调调弦。因为经过一段时间的拉奏，特别是有那些强奏的和弦与拨奏，难免不走弦。

音乐家总是把鼓掌看作可厌的干扰。但在有个时期，即使音乐正在进行之中，也可以鼓掌。二十二岁的莫扎特从巴黎寄回去的家信中，讲到他在那儿初演《巴黎交响曲》的盛况："我以八小节的小提琴组单独演奏开始，从弱奏陡然变为强奏。不出所料，听众在 '*p*'（弱）时肃然无声，一到 '*f*'（强）便掌声如雷。"

1737 年，著名歌手法里内里在伦敦演唱。才唱第一句便掌声大作。他那从弱到强又转弱的技巧实在太动人了。此人是"割势伶人"（阉伶歌手）中最出名的。这种人自小受宫，以防变声。他们唱女高音，其音色与力量之柔中有刚是真正的女高音所唱不出的。

还有更狂热的场面。1840年，两位名歌手在米兰演唱二重唱，一句一片掌声。

协奏曲中的华彩段，是独奏者卖弄技巧的好机会。如果奏得精彩，往往也就引起鼓掌。

但是门德尔松不愿让华彩后面的音乐受干扰，采取了预防措施。他写了一部两架钢琴的二重协奏曲，先同钢琴家莫舍莱斯在克莱门蒂钢琴厂里搞了一次预演。试奏之后，大家主张加上华彩段。他们便合作起来。首先商量，如何使华彩后面的独奏不受干扰，办法是再插一段乐队全奏。门德尔松估计鼓掌可能长十分钟。莫舍莱斯打了个对折。于是两人按此估计加工了这部协奏曲。此事见门德尔松的书信中，并不是他人无中生有。

以上所谈，都是出于真心的情不自禁的彩声，然而音乐家不一定乐意听。威尔第听说自己的一部作品初演受到人们狂热喝彩，为之愕然，说："怎么回事？"柏辽兹谈到自己的一部作品时，说过："它第一次演奏就引来狂热的叫好，肯定是浅薄的。我当初还自以为不错哩！"

既然有知音或捧场者的彩声，也必然有其反面——喝倒彩。

嘘，顿足，这是比较常见的方式（有时候鼓掌还不足以表达激赏之情，便加上顿足，这又是另一种意义了）。凡有标新立异离经叛道之作，当其初次问世之时，往往逃不了这一关。

有时也杂有其他因素。瓦格纳在巴黎上演他的《汤豪塞》。巴黎人的规矩是，歌剧中不能没有芭蕾舞场面，不管剧情是否有此需要。瓦格纳不大愿受这一套的约束，虽然设法让剧情自然地引出芭蕾场景，却没有按巴黎人的程式放在第二幕里。这一来，舞女们老大不开心，因为，那些正餐吃得晚、总要姗姗来迟的高等看客和捧角的花花公子，就赶不上为她们捧场了。于是，一伙人被雇了来，"嘘"了这场演出。

丢烂桔子也成了喝倒彩的一种手段。18 世纪以来，在西班牙的一些音乐厅里，有人提篮兜售这种货色，专供此用。

还有一种喝倒彩，倒可以算是批评与揭露。在罗马城的歌剧院中，如果听众发现音乐中的剽窃，可以高呼受害者之名。如："莫扎特，好！"

最疯狂的当然是冲上台去捣毁乐器等等暴力行动了。这样过激的喝倒彩，在 20 世纪是发生过的。也不妨看作是对那种艺术价值可疑的"创新"的一种抗议与惩罚。往往弄得有的新作演奏会需要警方派出保镖维持秩序哩！ 1930 年，法兰克福上演一部现代派歌剧《桃花心木城的兴亡》。有人丢了臭气炸弹和啤酒桶，一人丧命。

对于倒彩，有的大师根本不在乎。丹第曾在罗马指挥演奏德彪西的《云》与《节日》。曲终时听众喝了倒彩。这时，丹第挥起指挥棒，又奏了一遍。这下子倒赢得了一片掌声。掌声中，一定包含着对他那勇气的赞赏吧！

音响效果与建筑

如果没有音响效果良好的演奏场所，那么美妙的音乐和卓越的演奏都会被糟踏。因此，"流动的建筑"（音乐）便同"凝固的音乐"（建筑）发生了关系。

有人为了寻找欧洲音乐中和声这一因素的起源，一找却找到了哥特式建筑的头上。怎么回事呢？这种式样的建筑，尖塔如林，内部形成许多穹顶。那里面，回声很大很长，余音绕梁，久久不绝，而且互相干涉，形成"混响"。英国牛津有座哥特式建筑的教堂，回声效应特别显著。如果人在其中接连唱三个音，那就可以听到一个合成的三和弦。因此便叫人猜想，也许这种现象启发人们创造了和声吧？但如相信这一说法的话，又无法解释为什么非洲也有简单的和声。那里从前不但没有哥特式建筑，也很少能够发生回声的房屋。

那些在哥特式之后出现的大圆顶教堂，如伦敦的圣保罗教堂，人在其中讲话，根本无法听清，只听得一连串含糊不清的回音混响。音乐演奏在这种地方也只能产生混乱。

瑞士某大学有一所大厅，初建时用来演奏音乐并无问题。后来忽然变得不堪使用。仔细观察，原来是听众的衣着有了变化。妇女听众原来穿长裙，现在改为短裙。这样一来，地板释放的回音太强，以致音响嘈杂。

巴赫对建筑音响效果很留意。据说他能够一望而知，哪个建筑物的音响是好是坏。有一次去柏林参观新歌剧院，看到旁边有一处厅堂的屋顶，脱口赞道：建筑师在这儿创造了奇妙效果！果然，那里面共鸣极好，有"耳语回声"效应（即很轻的声音也能灵敏地反射，有如北京天坛的"回音壁"）。

自从电扩音设备发明应用之后，音乐厅里的演奏效果又起了变化。可以说是有得也有失。扩音器虽可让听众，特别是后排、楼座的人听得更清楚，然而通过电传声送进听众耳中的，已经不是真货色，哪怕它的音色似乎是更悦耳了。考究的听众，要听货真价实的音乐声。

音乐信使

——闲话唱片音乐文化

　　1977 年 8 月美国发射的"旅行者"一号、二号宇宙飞船，各带了一张特地精制的唱片。唱片录下了可以放两个小时的若干首世界名曲。其中包括我们中国的古琴曲《流水》、巴赫的《勃兰登堡大协奏曲》、贝多芬的《第十三弦乐四重奏》等作品。这两艘飞船，在观测了木星与土星之后将飞出太阳系。

　　遥想飞船驶向茫茫宇宙空间，由人类最好的音乐"伴奏"着，真乃既严肃而又浪漫的镜头！向外星人传递我们的音乐文化信息，作为信使的那差事却找了 19 世纪发明的唱片来担任。这条消息，颇能说明：录音技术同音乐欣赏的关系非小。

　　没有唱片等录音手段，也就没有 20 世纪的业余音乐迷大众，这样说恐怕不会言过其实。所以，谈音乐欣赏，不可不谈唱片。

原始的"录放机"

画影图形，借丹青留驻历史的足迹，这在远古蒙昧时期就有了。但是如何才能让美妙的音声也留在人间，传之后世，直到 19 世纪之初才有人尝试。在黑格尔《美学》一书《艺术的演奏》一节中提到"艺术家就要当心，不要产生他只是一架音乐留声机的印象（这种留声机只是机械地复述一段指定的乐谱）"。黑格尔死后近三十年，也即 1860 年，瓦格纳在巴黎造访那位曾使黑格尔也入了迷的罗西尼。畅谈之余，老前辈还开起"录音机"放了几支家乡民谣。又过了几十年，爱迪生的留声机方才问世。

然而，1887 年，当爱迪生那新奇但又粗陋的玩意儿摆在伦敦水晶宫里供人观赏时，当地报纸上的有关报道，今天读来令人失笑。

该文先是对一些知名歌手如何将自己的歌声"灌"进那话儿中去，又怎样"摇"出一阵难听的声响，作了一番刻薄的形容；接着便发了一通应该说是不为无见的议论。

记者问道：未来将有何进展？歌唱家们将会把歌儿"灌"进那东西，从而向全球各地去卖弄自己的歌喉吗？鲁宾斯坦、霍夫曼（当时已出名的钢琴家）说不定会安坐家中，制作样品，再交给演出经理人，运往各处去表演它，通过唱机来实行旅行演奏吧？

这篇趣文中所云的唱机，是靠手摇来转动的。要录音的人对准一个喇叭形的筒子讲话或唱歌，声音便录在一个涂了蜡的圆筒上了。录毕，从头再摇，就听到了录下的声音。所以，它可算是一种原始的"录放机"。记者用"灌"与"摇"来形容录与放，惟妙惟肖，并未歪曲。

这"录放机"便是留声机的老祖宗。非常值得一提的是，就在那个 1887 年的水晶宫，在场参观爱迪生留声机的人群中，也有一位新头脑的中国人，一个对西方音乐颇感兴趣、常常赴音乐会去认真倾听的人。他便是满清的驻英公使郭嵩焘。在那次展出后的第二年，英伦举办亨德尔音乐节，水晶宫里又一次利用了爱迪生的这一新发明。在俄国的在老托尔斯泰纪念馆中，也摆着一架，是它的发明人赠送的。郭沫若访问那里时看到过，在《苏联纪行》中提到它。

清末民初，此器显然已引进了中华。连小小的南通州，当年居然也有一些昆曲迷，用它来录、放自己的演唱。（此事见于《季自求日记》，他是鲁迅民初在北京工作时的朋友。）

上述那位英伦记者先生，恐怕并不怎么相信自己的预言真会实现，但却给他言中了。三年之后，欧陆有的城市中，开张了一种"唱片音乐店"。顾客戴上耳机，投入硬币，便可听到他在目录上挑选的那支小曲。

爱迪生发明留声机之后十年，即 1898 年，英国有家《音乐时报》上有"答读者问"一文。它反映了 19 世纪末唱片与唱机的一些情况。此文认为：爱迪生唱机是个奇妙之物。各种乐器的不同音色，那里面都可分辨。至于能否使音乐行家也感到满意，可就难说了。唱片的效果是口技式的，也还不算刺耳。顾客所获得的不仅是好玩的东西，而且是某种享受。当然，如果想叫它逼真地再现原来的音响，显然是期望过高，云云。文中提到，这种商品的售价，每具六几尼（一几尼的币值稍高于一英镑）。如要再添一个大喇叭，外加五十先令。

此处提到的大喇叭，便是老式的留声机上最显眼的一种标志。年在七八十岁以上的老年人，如果还记得小时候见过的"话匣子"，一定首先记起这大喇叭。

凡见过当年美商亚尔西爱·胜利（维克多）公司出品的唱机、唱片的，也绝不会忘记那商标：蹲着的一只狗，正凝神细听着这种带喇叭的唱机。听啥呢？再看那商标上，除了"胜利"字样以外还有一行字："其主之声。"那用意可能是宣传唱机音响如此逼真，连狗都认得出它的主人吧？

说起这商标，还有点小来历。原本是一位画家作的一幅画。赠给爱迪生，他拒不接受。便改画成这样子，由亚尔西爱·胜利公司买去做了商标。

随后，留声机"进化"了。累赘的大喇叭也像人猿尾巴那样缩小，缩进了机身里面，终于不见了。它原来的扩音功能，由机内的共鸣箱代替。

其实真正得到广泛应用的唱机与唱片，走的是与爱迪生不同的路子。这是德国人柏林纳尔的功劳。他同爱迪生殊途同归，几乎在同时搞出了留声机。而其设计，在某些方面还稍胜一筹。录音不用蜡筒而用平面圆盘，方便得多了。两种产品并存了一段时间。英国维多利亚女王，有名的白衣战士南丁格尔，意大利名演员杜丝，这些名人都曾在蜡筒上留下音声。但竞争的结果，平面唱片终于把蜡筒淘汰了。

可怪的是，两位发明家当初竟然都不懂得给自己的大发明派什么用场！

爱迪生只想叫它在公司写字间里当有声"留言簿"。柏林纳尔则设想，也许可以用它来装配能言玩偶。后来，他也真的制作了一批会讲话的洋娃娃。

这两位，好像都是"乐盲"。爱迪生不是被人一记耳光打成了聋子吗？当然他后来也注意了音乐蜡筒的录制工作。他认为德彪西的东西不值得录，因为听的人极少，可见他对音乐不是一无所知，但说他不懂音乐也不太冤枉。

留声机后来成了传播音乐的利器，完全是他们始料所不及的。

早期的唱片

早期的唱片是怎样制作的，说起来笑死人。如今只要用模子便可"印"出成千上万的唱片，最初却是录下一张就是一张。可以说它是"独幅版画"。

有个名叫道生的歌手，在自传中回顾年轻时干录制唱片这苦差事的情景，煞是可笑。那是 1904 年间，他头一回去录音。歌手必须朝着十二个话筒唱。此种形如喇叭的话筒，按着三四十二的纵横行列，排在他面前。每唱一遍，可录成一打之数。而他每天得这样不停地唱六个小时。

此后有了改进，可以制版复印了。但录制中麻烦很大。

声乐的录制效果最好。小提琴也还可以，但必须在琴上附加一个喇叭形管子，用以加强音响，并使声音定向。

钢琴则毫无办法，录不好。管弦乐队要录音，得大大精简。因为，乐器一多，声音就无法都"挤进"那小话筒去。低音大提琴根本用不上，只好代之以低音大号。

老式唱片是"快转""粗纹"。转速不一，逐渐统一为每分钟七十八转。

这类七十八转的唱片，一上来是单面录音。反面光滑如镜，却是空白。笔者有幸，在上海旧唱片行里曾见到一大堆。

世界上第一次上了唱片的成套歌剧，威尔第的《埃尔纳尼》，便是此种一面光的唱片，共计四十张。时为 1903 年。

直到 1905 年，才有双面都录的唱片。首创者是德国高亭公司。这个牌子，我国中国人并不生疏。解放前，高亭公司发行了许多京剧唱片。

余生也晚，蜡筒片是不及见了。老式双面唱片，小时听过。谭鑫培、汪笑侬等名角的唱腔，我便是从百代公司出品的唱片上听到的。那时唱机虽已革掉了大喇叭，但还用云母膜唱头与"金刚钻"唱针。沉重的唱头，粗笨的唱针，在那种老唱片上"刮"起一股老大的噪声，"伴奏"着严重失真的乐声。效果之糟，是如今享受着"高保真"立体声唱片的乐迷们无从想象的！

老唱片中有那么一张，在旧中国恐怕是遐迩皆闻的，它便是《洋人大笑》。在轻音乐伴奏声中，从头到尾是一阵阵洋人的谈笑之声，七嘴八舌，嘻嘻哈哈，笑得越来越凶。最后的高潮，是一阵似乎肚肠也笑断了的哄堂绝倒。

这张片子的反面，是《军乐队》。说不定还是在我国传得最早的铜管乐曲。

当年，不论城乡人家，办喜事，一个少不了的助兴节目，即是翻来覆去放这张《洋人大笑》。

老式唱机、唱片，委实难以令人满意。难怪像丹第这样的音乐家，要斥之为"没有灵魂"了。一直到了 20 世纪 20 年代，法国的《音乐百科词典》和英国有名的《钱伯斯词典》上，还把唱机这东西释为"一种玩意儿"。

头一桩大缺点，当然是失真。因为是用机械录音，频响的幅度小得可怜。频率较高或较低的音响，都录不进。这样，不但使录下来的各种乐器的音色干巴贫乏，甚至有些高音与低音几乎听不见。

第二个大缺陷，是讨厌的"针音"干扰。针音之来，是由于唱头重，唱片质料（虫胶加填充剂）不理想。如果唱片唱旧了，针音更加吵得凶，几乎把音乐都淹没了。就像漫天尘灰盖住了一片好看的风景，令人气恼。

信息容量太小，是它的又一个大毛病。每分钟转速78的片子，小片直径十英寸。每面唱不到三分钟。十二英寸的大片子也唱不到五分钟。像舒曼的《梦幻》、德沃夏克的《幽默曲》之类小曲，当然可以在一张小唱片上一口气唱完。要是萨拉萨蒂的《吉普赛之歌》，可就需要一张大唱片。到了乐曲中部，正听到妙处，却不得不停下来，翻过一面，还要换根钢质唱针，才能接下去听完。

巴托克应古德曼之请，作了一首狂想曲，原约定只能写一张十二吋片子那么长。结果那乐意的展开超过了限度，不好压缩，于是他索性加了一个乐章，变成了两大张唱片，打乱了老板的计划。

大型乐曲那就更麻烦。"未完成"要算交响曲中很短的了，也得三张大唱片。贝多芬的《第九》是更不消说的了。

最煞风景的是，本来是一气呵成的乐章，却无端地被腰斩寸断！比如《自新大陆交响曲》慢乐章中，有一段在大、小调间来回转换，对比效果之美，人所共赏。老式唱片（如斯托科夫斯基指挥费城交响乐队演奏的那一套，是有名的录音）放到这一段，要断气两次。美妙的意境破坏无遗，只好靠你自己在心上去"剪接复原"了。我辈乐迷，如果主要依赖听唱片入门的话，那是要等到听了密纹慢转唱片，才恍然于这些地方手法与效果之妙的。

这一缺陷，当然也使音乐家身受其苦。克莱斯勒为唱片公司编制适合唱片用的乐曲时，听说是手里掐着个秒表的。听他录的那据柴科夫斯基原作改编的《如歌的行板》，总叫人怀疑是为了迁就唱片的时限，有点开快车。有的乐队指挥，也不得不这么办。

老式唱片都是经不起多唱的，因为太容易磨损了。从"金刚钻"针改为钢针之后，每唱一面要换一根针。看那用过的针，尖儿上已磨出了锋利的刃口，像一把机床上的车刀了。可以想见，唱片上的音纹一定也被"切削"掉了一部分。

笔者曾给这种老唱片记过账。买来一张崭新的唱片后，唱一次便记一笔，才唱过五十次，音质已开始"劣变"，"针音"也大起来了。可见，一张老式唱片的寿命是很有限的。旧唱片照样可以唱，但在乐迷听来，已不堪入耳了。

于是有人发明了竹针。用经过处理的竹材制成，针尖钝了，用夹剪修正，对唱片的磨损是小了，音响却不行。还有一种合金的"长命针"。针虽长命，唱片却更短寿了。

乐迷总想享受那完好无伤的声音，然而又忍不住不反复多听，只得多买一张新片子收着，平时只听那张用旧了的。可是这并非寒酸之辈负担得了的。

唱片的进化

1925 年左右，开始有电录音，不仅频响拓宽，传真度提高，还可以搬出录音室，到现场去录制。于是乐队与歌队的规模不再受到限制。唱片的质量大大提高。如将电录的新式唱片放在新式电唱机上唱，效果便更好。此后，老式手摇唱机，哪怕名牌如"歌林"者，都退隐到旧货店中成了古董。如今的年轻人，恐怕已不知那种唱机、唱片为何物了。

信息容量有限的问题，也得到了解决。早在 1926 年，又是爱迪生这位大发明家，领先试制一种每分钟八十转，每英寸直径可容四百线的唱片。可惜并未成功。到了 1948 年，密纹慢转片才上市。

《自新大陆交响曲》原先要五张大唱片。四个乐章，硬给分割成十段。有了密纹慢转片，一大张便绰绰有余了。不但各章一气呵成，还可在每一面上连放两个乐章。

又如《命运交响曲》，后两个乐章本应紧接着演奏，不可以停顿的。现在自然也不成问题了。《合唱交响曲》这种宏篇巨制，用一张半大唱片也就装下了。

过去的十英寸小唱片，一面只能录一首提琴小品。现在一张大唱片上可以安排二十首小品。一张片子听下来，等于听了一场独奏音乐会。

信息量的扩大，主要靠两条。一是纹路密，每英寸平均三百线。二是走得慢，由原先的每分钟七十八转，降到三十三又三分之一转。

密纹唱片采用了新材料、新工艺。轻飘飘的，失手堕地，也不会打碎（"文革"中"破四旧"，老式唱片可以一锤便碎，新式的，却颇难捣毁）。

这种唱片质量好，用分量很轻的新式电唱头，新式耐磨唱针，于是那可恼的"针音"便消失了。由于磨损小，唱几百次，也听不出音响质量有什么变化。

恰好在密纹片出世之后十年，又出现了立体声唱片。

其实唱片到了此时，音响质量已经相当完美。然而人们觉得它同音乐厅里的实际效果相比还是有出入，不能令人满意。

人是用双耳听的。而唱片录音，好比是单耳听的。此种差别，在独奏时并不明显。合奏，尤其是管弦乐队的演奏，就可以听出来了。一首管弦乐曲，在单声道唱片上听熟了，再去细听立体声唱片，你会有新发现。各个声部，不同的织体，都更加清晰透明地展现。对位、和声与配器的效果，也更加突出。

试验立体声效应的先驱，是指挥大师斯托科夫斯基。那部有名的美国动画片《幻想曲》，既是试图以生动的图形来"翻译"名曲，同时又是立体声的最早实践。影片配乐的指挥，便是斯氏，据云录音用了十八条声道。

1958年之际，双声道立体声唱片与唱机投入了市场。原有的单声道唱片顿时给比了下去。唱片公司竞出为名曲新录的立体声唱片。随后，又制成了四声道立体声唱片，但并未普及。

接着立体声唱片登上音响舞台的是磁带录放机。它标志着音响工具的又一大变革。

回想 20 世纪 40 年代末期,老式的钢丝录音机还刚刚传入我国。当时被当成新鲜玩意。其实这方面的发明早已有之。最早可以上溯到 1898 年。其时便有人搞出了钢丝录音机。几经改进,先改用金属片,再改用纸质带,终于又回到钢丝。然而这一卷钢丝,在录放时一发生故障,便成了乱麻一团,无法收拾,太不方便了。第二次大战后,1947 年左右,磁带录音已经在广播台和唱片厂里广为应用。但是家用录放机的上市行销,则是 20 世纪 50 年代的事。

一上来,录放机是竞争不过唱片的。如果同立体声唱机相比,老式单声道录放机更是相形见绌。这里讲的,已是用宽磁带的那种,也便是上海录音机厂大量生产过的那种。我们在巴托克与柯达伊合影的一张照片上可以看到,他俩当年搜集匈牙利民间音乐,正是用的这种录音机。这机子最轻的也有几十斤重。录放起来很不方便。因此,便携式收录机与盒式磁带便应运而生。

唱片对音乐欣赏的影响

音乐史中少不了要谈到 18 世纪以来人们欣赏音乐方式的变化。但对唱片所发挥的影响似乎都语焉不详。其实,这是绝不可低估的。

本书钢琴篇已经说到，19世纪，一般平民家庭不得不依赖钢琴之类的媒介，去认识那些只有花钱买票赴音乐会才听得到的名作。

20世纪初以来，唱片取代了钢琴。既然有了价钱不是太贵，使用也便当的留声机，又何须花更大价钱去听音乐会呢？何况，最负盛名的演奏家与乐队，几乎都上了唱片。安坐家中，便可尽情听赏海菲兹、埃尔曼等等的绝技，而且可以无限制地"再来一次"（Encore）。现在的一个普通爱好者，他从唱片上熟悉的一大批古代名作，很可能是19世纪的音乐家们一辈子都没听到的。这不是夸张其词。柏辽兹是直到1828年才头一次听到贝多芬的《英雄》《命运》这两部二十年前已经问世的重大作品。而其时，他已经在巴黎音乐院肄业，已经在作曲，也已得了罗马大奖了。

如果这还可以用那时法国人对贝多芬不大欣赏来解释，那么，在音乐普及的德国呢？门德尔松领导的格万豪士乐队，十年之中《合唱交响曲》只演奏过六次。他还是最热心于普及古典名作的大师哩！

今天我们听着瓦格纳的《名歌手》《特里斯坦与伊索尔德》序曲改编的钢琴曲，总感到改编和弹奏得再好，同管弦乐原貌相较，也是打了个几折。联想当年，许多管弦乐曲只有通过钢琴的"翻译"才能同爱好者见面，不能不惊叹：唱片之功大矣哉！

欣赏方式发生大变化，反过来又必然刺激唱片的生产，于是出现了——

唱片音乐的普及与泛滥

自有唱片以来，到底有多少古典乐曲给录制了，仅从以下资料来看，可以估计那必定是一种极其巨大的集积。

1929 年，英国哥伦比亚公司（即"歌林"公司）一个月里就生产了四万张每分钟七十八转的唱片。当然，不全是古典音乐。

1963 年，美国对已出的密纹慢转片出过一部目录，共计二万五千种。光是这本唱片目录，便有二百八十页之多。其中的演奏者，包括了四十二位钢琴家，一百六十六位小提琴家，二千三百三十位歌唱家，九百零三位指挥家，五百九十个管弦乐队，二百二十三个歌剧团。羽管键琴家也有七十三人。

另有一份 60 年代美国唱片目录，其中有：歌剧（有些是删节本）二百七十五部，芭蕾音乐二百四十部，而巴赫的康塔塔这样并非太普及的音乐，居然也有八十七部，占了他此种体裁作品总数的三分之一。

还可举出一些有趣的数字。

金嗓子卡鲁索，一生灌的唱片共一百五十四种，得酬六十万英镑。其中有一曲便行销百万张的。

埃尔曼录的胜利唱片《梦幻曲》，是老乐迷很熟悉的。他的唱片销了二百万张。

在唱片还是老式的粗纹片时代，从巴赫到德彪西，重要的名作差不多都已收进了唱片。其中包括那些虽然烜赫但并不通俗的作品。例如巴赫的"48"（即《十二平均律钢琴曲集》中的四十八曲），和贝多芬的"32"（即三十二部钢琴奏鸣曲）。都是成套录制、成套发行的。

第二次大战后，连成套的出都不过瘾了，出全集之风于是大盛。像海顿交响曲全集共收一百零四部交响曲。莫扎特交响曲全集共收四十一部。莫扎特协奏曲全集，其中有钢琴协奏曲二十七部；都可称皇皇巨制了。当代的作曲家，不仅斯特拉文斯基有全集，连曲高和寡的先锋派如勋伯格者，居然也出了全集。

可惊可喜的是，1970年，十二巨册（唱片册）的《贝多芬全集》问世了。内含立体声唱片七十六张，磁带七十盒，并附内容详尽的贝多芬传一册。

到了1978年，《舒伯特全集》也接踵而来。这是民主德国为纪念他逝世一百五十周年祭而出的。已经发行了五十一张唱片。

1991年，为纪念莫扎特逝世二百周年，号称唱片史上最大的唱片集——大天才莫扎特全集发行。六百二十六首作品被收在一百八十张激光片中。

必要与无必要的重复

古典音乐唱片的大量重复发行，是很有趣的现象。这同文学名著的翻印是相似而又不尽相似的。

据 1933 年的统计，光是英国版的亨德尔的《广板》，就有三十七种唱片。《蓝色多瑙河》有四十一种，《命运交响曲》这样的大部头作品，也有四十多种。

20 世纪 60 年代，按美国所出密纹唱片目录所收来看，《合唱交响曲》有十七种。前面提到的海顿交响曲全集，也出过两种"版本"。20 世纪 70 年代那庞大的《贝多芬全集》也有两种可供选择。

还可以举一例。卡拉扬于 1977 年再录贝多芬的九部交响曲。二十五年来他已三次录制这一套杰作了。

瓦格纳那部需要四个夜晚才演完的乐剧《尼伯龙根的指环》，有两种版本的全套唱片。

假如这许多不同"版本"各有独到之处，那么"版本"是多多益善，正如文学名著的复译。何况音乐作品有赖于演奏者创造性的"诠释"，即便是同一个演奏家，他的每一场演奏都是一次新创造，正如斯坦尼体系对演员表演的要求那样。因此，爱好者，尤其是鉴赏家，毋宁是欢迎不同版本的重复的。

七八十年以前，你要听《自新大陆交响曲》，当时在上海，不难买到至少三种"版本"。其中，哈提指挥英国某乐队演奏的那一种，显然颇为平庸。人们爱听的，可能是斯托科夫斯基指挥费城交响乐队录的那一套。

　　像《命运》《合唱》这般经典之作，如果只流传着一种"版本"，那就太难使人满足了！众多指挥家，对这些大作品的处理各有千秋，欣赏者也见仁见智，各从所好。又如贝多芬、门德尔松、勃拉姆斯与柴科夫斯基的小提琴协奏曲，有哪一位名手没留下唱片呢？可是听者不厌其重出，至今还在不断出新的"版本"。更令乐迷有人生苦短、音乐无涯之叹！

　　可是，也有好多重出的唱片，并无多大价值，鱼目混珠，徒乱人意，自然也会在市场竞争中遭到淘汰。

唱片中的珍奇

　　留声机迟来一步，成了历史的大遗憾。我们既无从领略贝多芬那催人泪下的即兴演奏，也只能从文献中去向往帕格尼尼的绝艺（爱迪生最遗憾的是拿破仑的声音没录下来）。

　　幸而，唱片总算给人们保留下 20 世纪初以来许多大师的风貌。以小提琴演奏面言，没有唱片，我们又从何去品味克莱斯勒等巨匠的琴声呢？以指挥艺术而言，又怎能去认识托斯卡尼尼、伯姆等大师的不同风格呢？

　　也有一些唱片，尽管音响很不理想，然而是珍奇的音乐文献。

　　勃拉姆斯辞世前夕，曾于维也纳录下了他自己写的《匈牙利舞曲》，是钢琴独奏。

约阿希姆垂老之年，经不起友人再三苦劝，也录制过几首巴赫和他本人的作品。听过这唱片的人说，可以听出音准上有些小的失误，但法度谨严，风范犹存。萨拉萨蒂去世前五年录了一张巴赫的《E大调前奏曲》。1969年翻成新版。人们完全听不出弗莱什与维尼亚夫斯基推崇的技巧。但，听历史名盘，就必须带着历史感去倾听。

让老唱片复活，这事早就有人认真搞过。当时发现：已往录制的老唱片，虽然音响贫乏，其实还有潜在能量。在那一道道的音沟中，埋藏着老式唱机所发不出的声音，而现在是可以使其再生的。

另一方面，上了老唱片的，很多是人虽物故而名垂乐史的，有很大的历史价值。于是，卡鲁索的唱片被重行翻录。尤妙者，还设法将原先因陋就简采用的钢琴伴奏抹掉（好在钢琴的录音效果本来就模模糊糊），镶补上新录的乐队伴奏，有点像在旧照片上叠印新背景（现在为金嗓子周璇旧录音配上立体声电子音乐伴奏就更不难了）。

1932年，有一帮好事者，组成"老唱片搜集会"，专事发掘与再版老唱片。这时，竟发现了一宝：德彪西的歌剧《佩里亚斯与梅里桑德》选曲的录音。弹钢琴伴奏的就是作者本人（据美国弗兰克·道斯《德彪西的钢琴音乐》一书中说，德彪西曾录制的唱片还有《德尔菲的舞女》《沉没的教堂》等三首前奏曲）。

甚至一些古老的蜡筒片，也可以改录翻新。英国有音响资
料馆制造了一架电唱机，专唱蜡筒片。于是，昔日歌唱大师们
的声音又在人间回荡了。

令乐迷涎垂三尺的老唱片奇珍榜上有：萨拉萨蒂九片，约
阿希姆五片，伊萨依八片（此处之"片"指老片子，但已全部
翻新为 LP¹ 或 CD）。

音乐教室中的助教

用唱片配合音乐教学，是很有效的办法。专业的可以通过
唱片，去揣摩名手的演奏。还有各种特殊的唱片。例如有帮助
人们了解音乐史的唱片专辑：《二千年的音乐》《又看又听的音
乐史》。还出了更加专门的唱片，如《七个世纪的宗教音乐》
《管风琴音乐三个世纪》《古代音乐》《东方音乐》《巴赫前的
巨匠》。

匈牙利音乐家柯达伊与巴托克两人，搜集本国民间音乐甚
勤，录制了万把张唱片。这更是有学术价值的资料了。

还有一种唱片，是重奏乐曲，却缺其一个声部，好让人们
同唱片一起，练习演奏。练习重奏的人，有了这唱片，便不会
像爱因斯坦那样，小提琴演奏水平不高而又很想找人合奏，常
常讨没趣了。

1　Long play，又称黑胶唱片，是立体声黑色赛璐珞质地的密纹唱片。

唱片的功与过

唱片的大量流通，诚然是大好事，然而也传播了"瘟疫"。20 世纪以来，促进了严肃音乐普及的是它，助长了无聊音乐泛滥的，也是它。这方面的功罪姑且不谈。

人们可能以为，上了唱片的，该是最标准最准确最完善的演奏了吧！其实，不一定。从某一角度来说，唱片确能做到比现场演奏更完善，因为，它可以"修正"。

早期的唱片，无法修补，录坏了就得重来。自从发明了磁带录制法，便可以先录在磁带上，然后才制成母版。既然用磁带录音，当场便可鉴定。还可以录上几副，从中选那些最满意部分，剪接而成全璧。西盖蒂录贝多芬的协奏曲，有一段拉了三遍供指挥选用。连一个音符有毛病都可以剔换，施瓦尔茨科普夫可以补录她前一次没能唱上去的那个高音。甚至在乐队中暂缺哪一个声部也不妨，反正可以拼上去，天衣无缝，一点痕迹也不露。

还有似巧实伪的办法，将某一段放慢用低八度录下，然后加快重录拼上去。

所以，听上去相当完美的一支乐曲，很可能其实是一幅镶嵌画！海菲兹某次录巴赫《双小提琴协奏曲》即用分录法制作再合成的。但他有一回录音拉错了音，却又存真拒改，说是既然很多人想听到我也有失误，那这会给他们很大的乐趣。

音乐会中的现场演奏，那便难免会有些失误。有时还不止是错漏几个音符的事。唱片是绝不会如此的。出过毛病的地方，已经动过手术修复了。所以从"准确"这一点来说，唱片没有问题。

可惜，这种在录音作坊里炮制出来的货色，并不比虽有瑕疵但生气勃勃的实际演奏好。

录音室里的演奏，毫无干扰；然而也没有听众的交流与共鸣。再加上别的心理因素，这种演奏便变得淡而无味。无怪乎指挥家富特文格勒从来不肯踏进录音室。

不过也有的演奏家，在录音室里照样可以自如地演奏。有的钢琴家还专门录制唱片，并不在音乐会中露面。还有一个别有奇趣的事例：1977 年，一支现代爵士乐队同那位四十年前去世的格什温合录了《蓝色狂想曲》，原来那独奏部分储存在往昔的自动钢琴纸卷中，于是便有了古今乐人合奏的奇闻！

现场录音是一条出路。

夏里亚宾在 1928 年现场录制的《鲍里斯·古德诺夫》片段，其崇高的悲剧风格，远胜他在录音室里灌的同一作品。

磁带录音术使现场录制更加方便。一系列名作的唱片，是现场录下的。其中有在拜罗特剧院录的《合唱交响曲》《尼伯龙根的指环》《特里斯坦与伊索尔德》；在萨尔兹堡录的莫扎特歌剧《女人心》；等等。

唱片的普及，改变了欣赏方式，也影响到审美的心理习惯。听众从唱片中听惯了"标准化"的演奏。它非常之准

（没有走音的毛病），音色被加工美化（其实是失真），又绝无场内干扰；久而久之，形成了一种定见。这种由唱片陶冶出来的音乐迷，一进了音乐会，面对真实的演奏，真正的音响，倒反而觉得并不理想，颇有幻灭之感了！

名家演奏的唱片大量销行，也影响到专业演奏者的风格。有人致慨于当代小提琴家演奏风格之雷同。只听演奏不看人名，就可能弄不清是谁在拉。而前辈大师们，一听就可以认出来。许多人以唱片为范本，刻意模仿，或不知不觉受其濡染，结果难免磨掉了自己的个性。

对听众来说，也存在此种危机。由于唱片可以翻来覆去唱，毫不走样，听者容易形成固定印象，听不惯不相同的处理。

如果我们承认，每一次个别演奏，都应该是一次新的创造；那么可以说，唱片不管它多么标准，也是低于实际演奏，没有生气，并不可取。

18世纪的音乐演奏，尤其强调即兴性。20世纪，出现了巴洛克音乐热，它的形成多亏了唱片的帮忙。然而死板的唱片，恰恰是同古代音乐演奏风格大相径庭的！

当初唱片一出世，便遭到不少音乐家嗤之以鼻。后来，音乐家发现它颇有用处，许多人又过分依赖这个工具。

唱片终究是个死东西。有一位小提琴家，听了他自己录的唱片之后，泄气地表示：录得再好，也不过是"罐头食品"！

（这是 20 世纪的英语新词，意思是丧失了原有的风味。）

最新也更完美的激光数码唱片，已风行于世界了。原先那些老唱片，可能又会打入冷宫。然而其中贮存的珍贵信息，总是永存的。不妨说，它们就是"音乐的化石"。

滥用唱片的可重复性，过度的重复演奏，漫不经心地重复听赏，必然损伤了宝贵的新鲜感，真正经得起这种折磨考验的名作是不多的。成也萧何败也萧何，唱片的功罪难言之矣！不管怎么说，一部音乐史中不为唱片专写一章是说不过去的吧？

图书在版编目（CIP）数据

乐迷闲话 / 辛丰年著；严锋编. – 上海：上海音乐出版社，2023.8
（辛丰年文集：卷一）
ISBN 978-7-5523-2650-5

Ⅰ．乐…　Ⅱ．①辛…　②严…　Ⅲ.①古典音乐 – 音乐史 – 西方国家
Ⅳ. J609.5

中国国家版本馆 CIP 数据核字（2023）第 124523 号

书　　名：乐迷闲话
著　　者：辛丰年
编　　者：严　锋

版权代理：学人文文化
责任编辑：唐　吟
责任校对：顾辐玉
封面设计：金　泉

出版：上海世纪出版集团　上海市闵行区号景路 159 弄　201101
　　　上海音乐出版社　上海市闵行区号景路 159 弄 A 座 6F　201101
网址：www.ewen.co
　　　www.smph.cn
发行：上海音乐出版社
印订：上海雅昌艺术印刷有限公司
开本：889×1194　1/32　印张：7.125　插页：3　字数：131 千字
2023 年 8 月第 1 版　2023 年 8 月第 1 次印刷
ISBN 978-7-5523-2650-5/J · 2453
定价：55.00 元

读者服务热线：(021) 53201888　印装质量热线：(021) 64310542
反盗版热线：(021) 64734302　(021) 53203663
郑重声明：版权所有　翻印必究